凋落と再興の軌跡

ジョンブル魂と
サムライの復活

東海東京フィナンシャル・ホールディングス（株）
代表取締役会長
石田建昭

幻冬舎

凋落と再興の軌跡

ジョンブル魂とサムライの復活

まえがき

名古屋ロータリーは来年創立一〇〇周年を迎えます。日本では東京、大阪に続き、三番目のロータリーとして一九二五年に発足しました。

二〇二一年の春、その伝統と掟の名古屋ロータリーの会長に推挙されました。驚きと同時に身に余る名誉であるとの思いから、会長職をお引き受けすることにしました。

さて、会長職の重要なミッションとは何か？　会長ご経験の皆様のお話では、「会長ミッションは組織運営、行事進行、ロータリー精神の普及などたくさんあるが、何と言っても毎週の会長挨拶が大切。見識ある有益な話をロータリーメンバー全員が期待している」とのこと。

そのお話を聞き、この機会に永きにわたる人生をしっかり振り返り、ロータリーメンバーの皆様が関心を持つ、あるいは皆様の興味を引くようなテーマを人生から取り出し、会長挨拶のテーマにしようと、心に決めました。大きなテーマは、名古屋ロータリーの本年度の活動テーマ〝世界の風を感じよう〟に沿った〝海外での出会い、思い出〟。その一方で〝失われた三〇年と日本再興〟についても、お話の中に盛り込むことを意識しました。

早速、毎月のテーマを決め、お話しする内容を固めていきました。

七月：イギリスのスポーツ
八月：世界の夏
九月：芸術の秋
一〇月：身構える秋
一一月：国際金融機関総会
一二月：イギリスの天才たち
一月：世界の要人
二月：タイの思い出
三月：恐ろしい米国
四月：世界のゴルフ場

五月：危機の時代
六月：日本の黄昏と再興

振り返ると、私の人生は幸運と多くの方々との豊かな出会いの連続であり、また、波乱万丈とまではいかないものの、多くの事件・事故に遭遇した人生であったと思っています。このような個人の人生を回想する話を、公の組織で披瀝《ひれき》するのは非礼ではないかとの思いもありましたが、厚かましくも用意したテーマに沿い一年間お話をさせて頂きました。

心優しいロータリーのメンバーの方からは「毎週楽しみにしていますよ」との顔が赤らむようなお言葉を頂くこともありました。

無事一年を経て、ふと人生の一章として、またこのような機会を与えてくださった名古屋ロータリーの皆様に感謝の思いを伝えるためにも、私のつたない〝お話〟を本にしたい、そういう思いにかられ、懇意にして頂いている幻冬舎の見城徹社長にお願いし、夢をかなえてもらいました。

タイトル『凋落《ちょうらく》と再興の軌跡　ジョンブル魂とサムライの復活』は、私の大好きなイギリスの英雄チャーチルのある種の称号〝ジョンブル魂〟、その不撓《ふとう》不屈の精神でナチスの攻撃によるイギリスの崩壊を防いだ、その心の源に学び、そして、〝ずり落ちそうな黄昏《たそがれ》国〟日本を何とか這い上がらせるべく、葉隠《はがくれ》サムライの心意気で愛して止まない日本の復活を願ってつけたものです。

机上を汚すだけの駄書ではありますが、ご一読頂ければ幸いです。

凋落と再興の軌跡　ジョンブル魂とサムライの復活　目次

運を引きつけるのも能力

今年の春、直前会長の富田さんが私のオフィスにお越しになり、次期会長をというお話を頂きました。

私は二〇一一年三月に当クラブに入会し、一〇年が経過しました。その間、出席率も委員会活動も決して模範的なものではなかったので、会長のお話には面食らうと同時に心が暗くなりました。

しかし、次のようなことを思い出しました。

昔、東海銀行に加藤隆一頭取という方がおられました。頭取はいつも私に「人生は決して能力ではない。七~八割は運だ」と話されていました。

私も社員には「運を引きつけるのも能力。そのためには、どなたかからお願いされたら絶対断らない、お金には絶対こだわらないという二つを守りなさい」と常々話していました。

内心不安もありましたが、お引き受けするという意思表示をさせて頂きました。来年七月からですが、コロナ禍も治まり、ビフォーコロナの日常が戻ってくると思います。

当クラブもコロナ禍以前のように嬉しく、楽しく、微笑《ほほえ》みあふれるクラブになるように努力して参りたいと思います。強力な副会長、会計理事、幹事に支えられながら、一年間頑張っていきたいと思いますので、ご支援のほど、よろしくお願いいたします。

（二〇二一年一二月七日開催分）

イマジン ロータリー

まず初めに、私自身の経歴についてお話しします。

私は昭和二一年、北海道函館市に生まれました。小学校、中学校、高校を函館で過ごし、昭和三九年、初めて函館を離れ、大学入学のために小樽へ移りました。この大学生活四年間を含め、それまで北海道を離れ、内地、本州へ渡ったのは四回。中学、高校の修学旅行、そして大学受験、さらには運命の出会いとなる東海銀行の入社試験のための名古屋訪問。その四回です。

東海銀行をなぜ受験したのかという点では、色々お話ししたいことがあるのですが、とにかく昭和四三年、東海銀行へ入行したわけです。

東海銀行での最初の勤務店は南区の内田橋支店。そこに四年弱勤務し、その後は海外勤務と本部（国際部門・市場部門）勤務です。

海外勤務は一九七一年のロンドン研修を皮切りに、バンコク（一九七二～七六年）、ロサンゼルス（一九八〇～八六年）、そして一九九二～九四年と二〇〇〇～二〇〇四年の二回のロンドン勤務。合計二〇年弱の海外勤務を経験したわけですが、会長挨拶も海外絡みを中心に毎週お話しさせて頂きたいと思っております。

それでは、ロータリー二〇二二－二〇二三年度の国際ロータリー方針からお話をさせて頂きます。今年の国際ロータリー会長は、カナダ出身のロータリー史上初めての女性会長、ジェニファー・E・ジョーンズ氏です。ジョーンズ氏の二〇二二－二〇二三年度国際ロータリーのテーマは〝イマジン ロータリー〟です。平和と人類愛をテーマとした有名なジョン・レノンの曲『イマジン』を念頭に選ばれたテーマです。

二〇二二－二〇二三年度テーマ講演でジョーンズ会長はこう述べています。

「想像してください、私たちがベストを尽くせる世界を。私たちは毎朝目覚めるとき、その世界に変化をもたらせると知っています。昨日のことをイマジンする人はいません。イマジン、それは未来を描くことです」

今の難しい世界情勢を考えると、示唆に富む言葉ではないかと思います。

一方、地区ガバナーによる二〇二二－二〇二三年度地区方針は〝未来を描こう、笑顔でつ

なごう ～一人一人のチャレンジ力を力に！ 変化に対応できるクラブを目指して～〟です。
活動方針としては、以下の九つを掲げています。

1　地域社会に役立つクラブになろう
2　会員の増強をしよう
3　変化に対応できるクラブへ
4　計画的なクラブ運営・活動を実践しよう
5　インパクトある奉仕活動を実施しよう
6　ロータリーファミリーとの連携を強化しよう
7　ポリオ撲滅への貢献
8　ロータリー賞への挑戦
9　国際大会（メルボルン）へ参加しよう

名古屋ロータリーとしては、R.I.会長、地区ガバナーの方針を念頭に置きながら、次の点を意識して活動を行いたいと思います。

(1)〝世界の風〟を感じよう

今、地球・世界は、感染症、地政学問題、そして気候変動問題と難しい問題に直面しています。世界の状況に、今まで以上に関心を持ち行動するロータリーでありたいと思っています。

(2)よりよい地域づくりのお役に立とう

愛知県を中心とする中部地域は、ジブリパーク、スタートアップ・エコシステム、国際芸術祭「あいち2022」など、多くの地域成長プロジェクトを抱えています。このような地域プロジェクトに注目し、地域発展のお役に立つロータリーを目指したいと思っています。

(3)笑顔の輪を広げよう

コロナ禍、ロシアによるウクライナ侵攻は、私たちに心からの笑顔を失わせたように思われます。笑顔は生きるために必要な糧です。笑顔を取り戻すと同時に、少しでも新メンバーを増やし、笑顔のロータリーの輪を広げたいと思っております。

これから一年よろしくお願いします。

(二〇二二年一二月七日開催分)

第一章

イギリスのスポーツ

ロンドンの夏

私は春から夏にかけての季節になると、ロンドンでの思い出が心に浮かんできます。

ロンドンの夏は雨が少なく、さわやかな風が吹き、気温は二〇℃前後で日本の秋のような過ごしやすい気候です。その過ごしやすい春から夏にかけてスポーツ競技が盛んに行われます。世界四大テニス大会のウィンブルドンテニス、テムズ川で行われるヨット競技のオックスブリッジレガッタ、そしてゴルフの全英オープンなどが有名です。

全英オープンはＲ＆Ａ（ロイヤル・アンド・エンシェント・ゴルフクラブ）主催の、ゴルフメジャー選手権の一つであり、メジャーの中で最も権威のあるトーナメントで、毎年七月中旬に開催されます。今年は七月一四日から始まります。

全英オープンが開かれるコース、「ロイヤルリバプール」のフラッグ

ターンベリー

英国での正式名称は『The Open Championship』で、全英やゴルフという表現は使用しません。

開催地となるゴルフ場は、従来一一のコースのローテーションでした。この一一のコースのうち、ターンベリーはドナルド・トランプが所有者になったこと、そして、もう一つのミュアフィールドは女性メンバーを認めていないことで、開催コースから一時外されました。ちなみに、開催地のローテーションの中でセントアンドリュースは特別で五年に一度開催され、一番格式が高いとされています。今年は記念すべき一五〇回目の全英オープンの開催であり、セントアンドリュースでの開催は三〇回目となります。

私はこの一一のコースのうち、四つのコースでプレーしたことがあり、外されたターンベリー、ミュアフィールドでもプレーしました。どちらも本格的な海辺

ミュアフィールド

のリンクスコースで、特にミュアフィールドは、静けさの中で北からの風が吹くゴルフの聖地のような、神聖な雰囲気を醸し出しているリンクスコースです。

また、ミュアフィールドの七月の平均最高気温も一九℃と過ごしやすい気候です。先ほどミュアフィールドはローテーションから外されたと言いましたが、二〇一八年に女性のメンバーシップを認め、ローテーションへの復帰が実現しました。

なお、全英オープンは世界ランキング五〇位、過去五年の全英オープンで上位一〇位までに入ったプレーヤー、その他有力トーナメントの優勝者など計一五六名の選手が招待されます。今年は松山英樹選手をはじめ、六名の日本人選手が出場予定です（松山選手、今平周吾選手、金谷拓実選手、桂川有人選手、比嘉一貫選手、中島啓太選手〈アマ〉）。

私が英国に赴任した一九九二年は、ニック・ファルドが全英オープンで三回目のトロフィーを手にし、一時代を築いた年でした。

過去の日本選手の最高位は一九八二年倉本昌弘選手の四位。最近では二〇二一年の木下稜介選手の五九位でした。ちなみに、二〇二一年の優勝賞金は二〇七万米ドル（当時の円換算で約二億二〇〇〇万円）でした。三〇年前は八万五〇〇〇ポンド（当時の円換算で約二〇〇〇万円）となっています。

現在の日本の最高の優勝賞金額は女子ツアーの「アース・モンダミンカップ」の五四〇〇万円。男子では「日本オープン」の四二〇〇万円。「中日クラウンズ」は二四〇〇万円、「バンテリン東海クラシック」は一八〇〇万円と、海外と比較するとまだまだの金額となっています。

全英オープンのチケットは、一般的にはバロットといわれる抽選で入手できます。定価は一番安いもので練習日初日の二五ポンド（約三八〇〇円）、高いものは本戦最終日の一一〇ポンド（約一万七〇〇〇円）です。しかし、譲渡可能なチケットがインターネットでも販売されており、今年の値段は最終日で定価の二倍の二〇〇～二五〇ポンド（約三万～四万円）です。

なお、セントアンドリュースでのプレーは、一般的には抽選に当たった人のみですが、倍率が高く、なかなか当選しません。比較的予約可能な方法としては、旅行エージェントのプレーと宿泊がパッケージされた「オールドコース・エクスペリエンス」があります。三泊宿付きで二二三〇ポンド（約三六万円）を支払えばセントアンドリュースでプレー可能ということです。

一度プレーなさってみてはいかがでしょうか。

（二〇二二年七月一二日開催分）

ロンドンの夏②

ウィンブルドンはロンドンから南へ車で二五分ほど走ったところにある郊外のマートン・ロンドン自治区に位置する住宅地で治安が良く、日本の駐在員も多く居住している地域になります。

ご存じの通り、ウィンブルドンテニスは世界四大大会（グランドスラム）の一つであり、四大大会では唯一グラスコートと言われる芝のコートで行われます。一九世紀に最初の大会が開催され、格式と伝統を重んじ、ドレスコードも厳しく、選手は白のウェアを着用しなければなりません。コートは一八面あり、センターコートには二〇〇九年に天井が付けられ、全天候型のコートになりました。大会は男女シングルス、男女ダブルス、混合ダブルスの各試合が約一週間の期間で行われることになります。

世界各国から参加者があり、七月の上旬から熱戦が繰り広げられます。男子シングルス

ウィンブルドンセンターコート

の本戦出場者は世界ランキング上位一〇四名の他、特別推薦者や予選を勝ち抜いた選手の合計一二八名で行われます。今年の男子テニスは、ノバク・ジョコビッチ選手が七回目の優勝を飾りました。

世界の一流選手の試合が繰り広げられるウィンブルドンのチケット購入は非常に難しいと言われています。抽選と当日販売がありますが、市場に出回っているものは金融機関が保有する債券関係のチケットと言われています。これは、金融機関または投資家が、主催者の発行する債券※（ディベンチャー）を購入し、入手したものです。この債券は、五年満期で金利はつかず、その代わりに五年間の観戦チケットが手に入るのです。

通常のチケットは譲渡不可なのですが、ディベンチャーチケットは譲渡可能なため、お金さえ出せば入手可能です。このチケットの市場価格は、センターコートは一ゲーム八〇万円以上、その他のコートでも一ゲーム三〇万～四〇万円と言われています。

また、一日の試合数はコートにより異なり、センターコートでは一日で複数試合（男子シングルス三回戦以上、女子ダブルス決勝等）が行われます。なお、一枚のチケットで複数試合の観戦が可能です。

私がロンドンに赴任していた一九九五年は、松岡修造選手が日本人男子として六二年振りにグランドスラムのベスト8まで勝ち上がりました。また、錦織圭選手も二〇一八、二〇一九年にベスト8まで進出しました。しかし、何と言ってもウィンブルドンで活躍した選手といえば、女子の伊達公子選手です。一九九六年、当時のチャンピオンであるドイツのグラフ選手と準決勝で対戦した試合は印象的でした。試合は日没順延のため、二日間にわたりました。残念ながら伊達選手は敗れ、決勝進出を逃したのです。

今年のウィンブルドンは、残念なことに、大坂なおみ選手がケガにより「欠場」することが発表されています。また、今年の大会は主催者のプーチン政権の宣伝工作に利用されるとの観点から、ロシアとベラルーシの選手の出場を禁止すると発表され、それに反対し

錦織圭選手

大坂なおみ選手

松岡修造選手

たＡＴＰ（男子プロテニス協会）、ＷＴＡ（女子テニス協会）、ＩＴＦ（国際テニス連盟）が、試合に勝ってもランキングポイントを付与しないことを決定しました。大坂選手はその騒動に嫌気が差して棄権したとも言われています。

さて、このウィンブルドンの優勝賞金は、二〇二二年大会は二〇〇万ポンド（約三億三〇〇〇万円。過去最高金額は二〇一九年の二三五万ポンド）。三〇年前の一九九〇年は二三万ポンド（約三六〇〇万円）でしたから、当時の約十倍です。その原資となる収入の多くはＴＶの放映権料だそうです。

ちなみに、全米オープンの優勝賞金は二五〇〇万米ドル（約三億七〇〇〇万円）。日本では「楽天ジャパンオープン」の三九万ドル（約五〇〇〇万円）が男女ともに国内の最高優勝賞金額となっています。

なお、今年のウィンブルドンテニスの賞金総額は約四〇〇〇万ポンド、日本円で七〇億円弱。延べ観客数は五〇万人以上。いかに大きな大会かがわかります。

※債券（ディベンチャー）は一席（例えばセンターコートの〇席、コート4の〇席など）に対して価格が設定されています。債券を保有することで、その席のチケットを五年間（毎年の開催日一四日間）確保できます。

（二〇二二年七月一九日開催分）

ウィンブルドン賞金総額

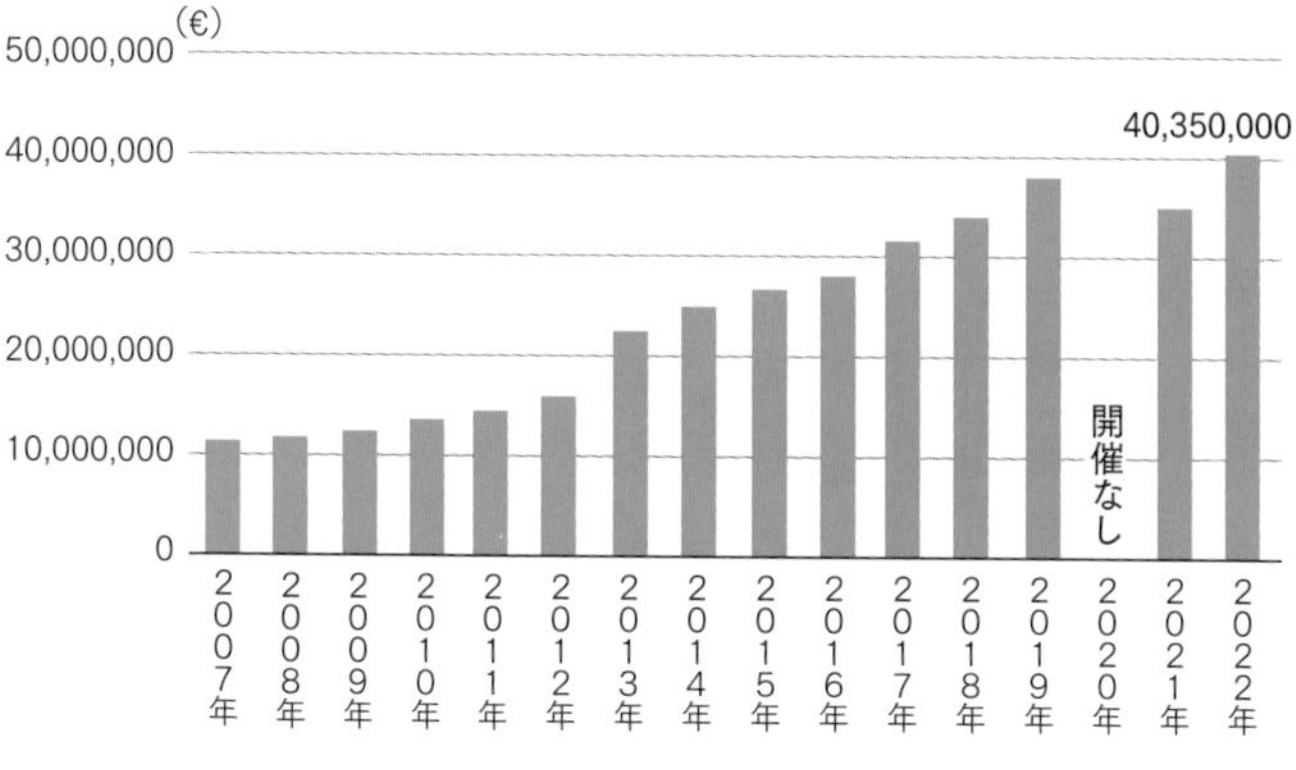

ロンドンの夏③

イギリスの春から夏にかけて、有名なスポーツにレガッタ（ボート競技）があります。ヘンリーロイヤルレガッタ、オックスブリッジレガッタなどが有名です。さわやかなイギリスの青空の下、テムズ川上流の河畔で行われているのが、名門大学オックスフォードとケンブリッジのレガッタの定期対抗戦です。

レガッタとは、エンジン（原動機）のない船を使ったボート競走のことをいいます。オックスブリッジの対抗戦は「エイト」と呼ばれる八人の漕

オックスブリッジレガッタ

ぎ手と一人のコックスを合わせた九名のクルーによるボート競走で、その中でもオックスブリッジレガッタは最も格式の高い称号である〝ＴＨＥ ＢＯＡＴ ＲＡＣＥ〟と言われています。

競走は、テムズ川下流のモートレイクからパットニーまで約六・八キロの距離で、男女各一レースが行われます。当日はＢＢＣがテレビ中継するなど、全世界が注目するスポーツです。

また、この日はテムズ川の沿岸に屋台等が出て、有力企業がお客様などの関係者を招待し、「ピムズ」といわれるミントの葉ときゅうりの薄切りが入ったさわやかな飲み物を飲み、春の到来を祝い喜ぶ、イギリスの風物詩にもなっています。

一八二九年から始まり、第一次世界大戦、第二次世界大戦、そして、コロナ禍の二〇二〇、二〇二一年はとりやめになりましたが、それ以外は毎年行われ、成績は今までのところ、ケンブリッジの方が少し優勢で、ケンブリッジの八一勝、オックスフォードの七八勝となっています。

今年は四月三日に開催され、男子はオックスフォードが

ピムズ

ケンブリッジ大学

勝ちました。女子はケンブリッジが勝っています。

オックスフォードは世界で三番目に古い大学といわれ、「論文引用数」「研究評価」「国際性」「教育規模」「企業からの収入」を評価項目とする世界大学ランキングでは常に上位におり、過去六年連続一位となっています。学部生、大学院生それぞれ約一万二〇〇〇人が在籍しています。

なお、現在の天皇皇后両陛下、秋篠宮殿下もオックスフォードに留学されています。ロンドン駐在時は、天皇陛下が在学されたマートンカレッジの校内を見学したことを記憶しています。

ちなみに、ケンブリッジは、オックスフォードの教授と学生が一二〇九年に独立し設立した大学ですが、世界大学ランニングでは五位となっています。世界大学ランキングの二位はカリフォルニア工科とハーバード、四位はスタンフォードで、五位がケンブリッジとMIT（マサチューセッツ工科大学）となっています。日本の東京大学は三五位、京都大学は六一位。名古屋大学は日本の大学では六番目で、世界大学ランキングでは三五一～四〇〇位にランクインしています。

オックスフォード大学

　オックスフォード、ケンブリッジともに財務状況は堅調です。例えば、オックスフォードの二〇一九年度の収入額は三三〇〇億円で、収入源は出版業収入が三三％、その次が研究費収入、授業料収入、交付金収入などです。

　名古屋大学は収入額が一一〇〇億円で、附属病院収入が一番多く三三％、次は運営費交付金が二八％。授業料収入は七％しかありません。参考までに、ランキング一位のハーバードの収入額は六〇〇〇億円を超え、四〇％前後が資産運用等収入であり、授業料収入は二二％です。

　こうしたことから、日本も現状を改善すべく、政府は「国立研究開発法人科学技術振興機構」に一〇兆円のファンドを設定し、その運用益で大学や博士課程の学生の学術支援をすることを決定しました。

日本頑張れ！

（二〇二二年七月二六日開催分）

第二章

世界の夏

タイの夏

今から五〇年前の一九七二年、二六歳の時に初めての海外勤務地、タイ・バンコクに赴任しました。東海銀行、タイのバンコック銀行、アメリカのシティバンクと三社共同でファイナンスカンパニーをつくることがミッションでした。

当時のタイは、まだまだ産業基盤が弱く、ほとんどの産業は日本企業が担っていました。トヨタをはじめ、日産、東洋工業、いすゞ、日野自動車などの自動車産業、東レ、帝人、鐘紡などの繊維産業、さらには旭硝子や、大丸などの百貨店も進出していました。当時のタイは一人当たりのＧＤＰが一九二ドル（日本は二〇三七ドル）で外貨準備量も少なく、財政状態も厳しく、経済基盤が脆弱《ぜいじゃく》で発展途上国モデルを脱しきれていない状況でした。

当時のタイには日系企業が三〇〇社程度進出していました。

私たちのファイナンスカンパニーはこうした日系企業との取引を拡大することが大きな

業務目的でした。当時、日本の銀行として東京銀行と三井銀行だけがタイに支店を設け、他の邦銀は現地の銀行と合弁で、ファイナンスカンパニーをつくってビジネスをしていました。当時は五つ以上の日系ファイナンスカンパニーがあったと思いますが、競争環境も厳しく難しい経営を強いられていたのを覚えています。

熱帯の国タイの夏はまさに猛暑。気温は三五度を超え、日中外を歩くのがしんどくなるほどです。それでも、週末のゴルフは欠かさず、熱風をものともせず、若さに任せて土日続けてプレーをしていました。

B-52（ストラトフォートレス）

タイのゴルフについて、こんな思い出があります。

丘陵地帯にあるパタヤのゴルフ場で、ボールが丘と丘との間のくぼみに飛びこんだ際は、体感五〇度くらいの熱気がよどんでいるような場所でスイングしなければなりません。早くそのくぼみからボールを出そうと悪戦苦闘していた時、東の空から真っ黒で巨大な物体が飛んできたのです。当時はまだベトナム戦争の最中で、タイの米軍基地から飛来してきたB－52（ストラトフォートレス）が、私たちの真上を高度低く飛んできたのでした。恐怖を感じるほどの巨大な黒い飛行機。戦争の恐ろしさを感じた瞬間でした。

　そのタイが、オイルショックの激震に見舞われたのは一九七四年の夏でした。

　バーツが売りに売られて一瞬のうちに一七円一七銭から一二円五〇銭と、一五％通貨安になりました。タイの金融市場は大混乱に陥り、私たちが資金を調達していたバーツのコール市場はまさに死んだ状態、取引ができなくなりました。ファイナンスカンパニーはバーツ資金を調達できず、このまま金融倒産か？　という体が震えるほどの恐怖を覚えました。私たちの場合はある救世主が現れ、お陰で何とか金融倒産を免れました。その救世主のことは、また別の機会にお話ししたいと思います。

タイ／日本の1人当たりGDP推移

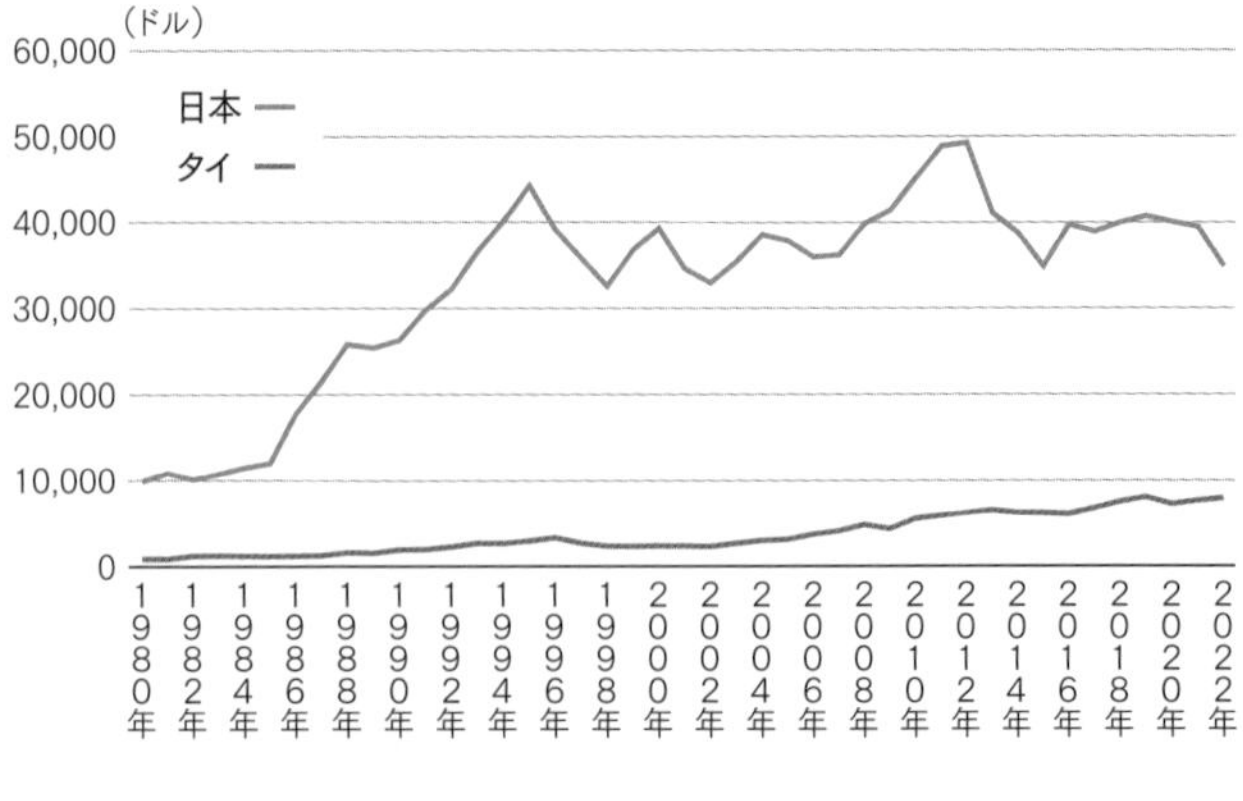

ちなみに、一九七二年のタイの人口は三六〇〇万人、日本は一億七〇〇〇万人でした。それが、現在はタイが七〇〇〇万人、日本が一億二五〇〇万人となっています。現在の一人当たりのＧＤＰを比べると、タイは七〇〇〇ドル（一九七二年比で四〇倍）、日本が四万ドル（同比二〇倍）となっており、その差はどんどん小さくなっています。

先日会ったタイの知人は、「そのうち、タイは日本を追い越すよ」と言っていました。私はそんなことがあるはずないと思いながら、だんだん経済力の格差がなくなってきていることに複雑な思いがしています。

先日、金融番組で岸田首相が「部長クラスの給与は、日本よりタイの方が高い」と発言しました。それほど東南アジアと日本の経済格差は縮まっています。日本はますます頑張る必要があると思った瞬間でした。

（二〇二二年八月二一日開催分）

タイ／日本人口比較

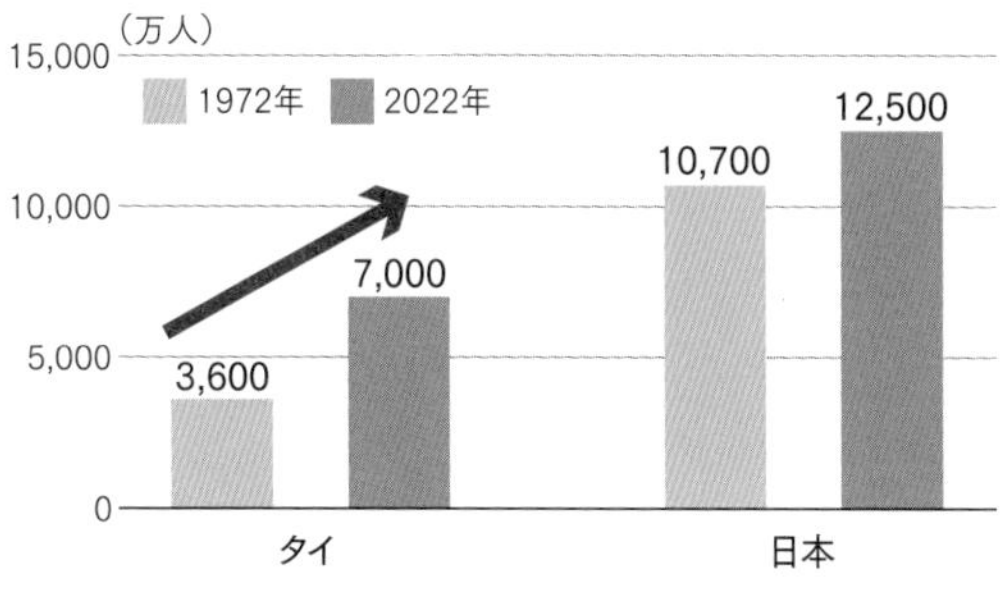

アメリカの夏

私は一九八〇年、カリフォルニアに赴任しました。その頃の日本は、高度成長の栄華に酔いしれ、エズラ・ヴォーゲル著の『Japan as No.1』という書籍がベストセラーとなっていました。

私のミッションは、「日本の銀行がアメリカの銀行を買収しているので、東海銀行も追いつかなければならない。カリフォルニアに行って銀行を買収してくれ」という何とも節操のないものでした。確かに、日本の銀行はカリフォルニア州で地方銀行を次々に買収し、東銀、住友、三和、三井は現地の銀行界でもそれなりの存在感を示していました。

赴任して一年後、ロサンゼルス郊外のコンチネンタルバンクを買収しました。銀行員の

『Japan as No.1』日本語版

エズラ・ヴォーゲル

無能さを教えられたのは、この後のことでした。当時のアメリカは史上最悪のスタグフレーションに直面していました。オイルショックや労働者の賃金の大幅な引き上げに加え、ベトナム戦争の後遺症などにより物価の上昇は年間一五％。しかしＧＤＰはマイナス成長、典型的なスタグフレーションの状態だったのです。

　ここに登場したのが、ＦＲＢ（連邦準備制度理事会）議長のボルカー氏でした。インフレファイターとして名高いボルカー氏はレーガン大統領と対立しながらも、物価を抑えました。高金利政策を取り、一時短期金利は二〇％を超える状態になりました。景気は後退し、カリフォルニアでは不動産価格が暴落する悲劇的な状況になったのです。加州東海銀行も不動産融資をかなり行っていたため、破産寸前と思われるほどの不良債権額を抱えていました。カリフォルニアには不動産ローンを専門に扱う「Ｓａｖｉｎｇ ＆ Ｌｏａｎ」という大きな金融機関がいくつもありました。それら全てが倒産したのです。また、苦境に陥ったいくつかの地元のローカルバンクの前には、預金解約のため多くの人々が並び、まさに預金取り付け騒ぎが起きたのを思い出します。

ボルカー元FRB議長

加州東海銀行の危機は、親銀行である東海銀行から二五〇〇万ドルの増資を取り付けて何とか乗り越えました。しかし、この後も加州東海銀行には多くの危機がありました。無謀とも言える邦銀の海外進出や現地銀行の買収、その背景にはバブルで膨らんだ日本経済をバックにした邦銀の驕《おご》りがあったのは事実です。

当時の資産をベースにした世界銀行ランキングを見てみると、日本の銀行は、世界の一〇大銀行に六行が入っていました。しかし皆さんご承知の通り、バブルの崩壊によって日本の銀行は奈落の底に突き落とされました。最終的には銀行再編成により三メガ体制が築かれたのです。

（二〇二一年八月九日開催分）

世界銀行ランキング

順位	1989年	総資産額(US$)億
1	住友銀行	13,357
2	第一勧業銀行	12,322
3	富士銀行	11,855
4	クレディ・アグリコル	11,802
5	三和銀行	11,186
6	三菱銀行	10,900
7	バークレイズ銀行	10,715
8	ナショナル・ウエストミンスター銀行	9,761
9	ドイツ銀行	8,462
10	日本興業銀行	8,184

ヨーロッパの夏

一九九二年にロンドンの欧州東海銀行への勤務を命じられました。欧州東海銀行は名前こそ銀行ですが預金貸出などは一切せず、業務のメインは債券、そしてデリバティブを駆使したトレーディング業務でした。いわば世界各国の金利の動きを予測しながらポジションを取って利益を出していくという、一種のヘッジファンドのようなビジネスをしていました。

当時の欧州東海銀行は一五〇名ほどのローカル社員が銀行の主要業務を担い、彼らの多くは欧州の投資銀行等から移って来ていました。銀行へのロイヤルティなどはほとんどなく、いかにして自分の収益を最大化するか、そして報酬をいかに多く得るかが関心の的でした。

非常に優秀なローカル社員も多く、彼ら自身が世界中にネットワークを持ち、そこから情報を得てハイレベルなトレーディング技術、あるいはデリバティブを駆使して、巨額なポジションを取り、収益を上げていました。彼らにはボーナスとして相当な額を支払った記憶があります。

ある年、一人のトレーダーに十数億円のボーナスを支払ったことがありますが、このニュースが『フィナンシャル・タイムズ』の一面に載りました。ヨーロッパで最高のボーナスを払った金融機関、それが欧州東海銀行だという記事でした。

リスクが高く非常に緊張を強いられるトレーディング主体のビジネス環境の中で、ほっとできたのは一週間ほどの夏休みでした。イタリア、オーストリア、フランスなどヨーロ

主要国 名目GDPの推移

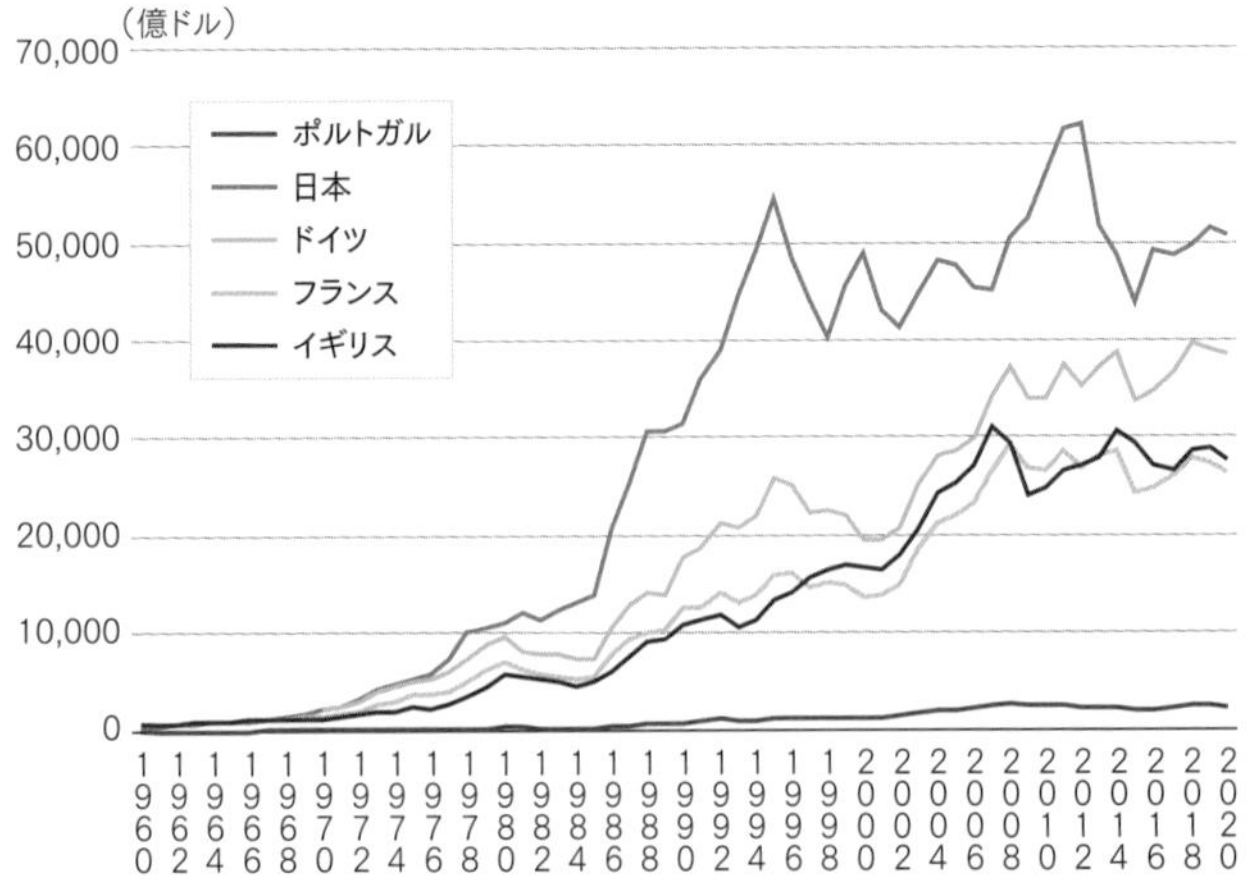

ッパ各国を回りましたが、最も思い出に残っているのはポルトガルです。

ポルトガルは人口約一〇三〇万人、イベリア半島の西に位置し、国土面積は、日本の約四分の一です。産業は観光と農業のみで、それ以外の産業がない小国でした。

ポルトガルが歴史的に大きく輝いた時代がありました。一四一五年から始まる〝大航海時代〟です。ヴァスコ・ダ・ガマが喜望峰を回りインドに到達したのが一四九八年。中南米などとも関係が深く、一時的にブラジルのリオデジャネイロがポルトガルの首都となったこともあります。日本とのつながりも強く、一五四三年に種子島に鉄砲をもたらし、フランシスコ・ザビエルはキリスト教の布教に力を注ぎました。

ポルトガルのコルク産業

フランシスコ・ザビエル

ちなみに、私のポルトガル旅行の目的は三つありました。一つ目は、ポルトガル人が持ち帰った日本の室町、戦国時代の文化物を博物館で鑑賞すること、二つ目は大航海時代を偲ばせるリスボン・ベ

リスボン修道院

レン地区の修道院などを回り、この国の繁栄や野心を感じること。そして三つ目が、いつ帰るかわからぬ男たちを見送る女性たちの非常に哀愁に満ちた、ポルトガルの民謡「ＦＡＤＯ」を聴くことでした。

　華やかなフランス、イタリア、オーストリアも魅力的な国ですが、「サウダージ」の国、いわば郷愁・哀愁の国ポルトガルも心に染み入る素敵な国でした。ただ残念ながら、ポルトガルは小国であるがゆえに財政状態が非常に厳しく産業基盤も脆弱です。二〇一〇年代にはＥＵの中で最も財政状態が懸念される国として、イタリア、アイルランド、ギリシャ、スペインとともに世界から警戒されました。やはり国の基盤は産業、強い産業の力が必要なのだと思っています。

（二〇二二年八月二三日開催分）

函館の夏

私の父は船乗りで、当初、青函連絡船の機関長などを務めていました。朝鮮戦争の特需が真っ盛りの頃、国内で石炭や木材を運ぶ機関船の造船ブームが始まりました。母にせっつかれて、父は甲種船長ライセンスを取得して機関船のオーナー兼船長になりました。家は石川啄木の有名な短歌、「東海の小島の磯の白砂にわれ泣きぬれて蟹とたはむる」の対象となった大森浜の近くにあり、周りには青函連絡船の船員が多く住んでいました。

青函連絡船

　函館で最も印象的な思い出は、一九五四年の台風一五号により起こった洞爺丸事故の悲惨な状況です。この台風により函館は猛烈な暴風雨に襲われ、家の前にあった大きなふとん工場の屋根が空に舞うという光景を目にしました。その暴風の最中に一瞬青空が広がったのを覚えています。台風の目だといわれた一瞬の青空、この空模様を見て、避難していた五隻の青函連絡船がもう一度津軽海峡に向かったのです。

結果的には再び暴風雨に見舞われ、五隻全てが遭難しました。犠牲者は一一〇〇名以上、史上最悪の海運事故となりました。我が家の近所でも多数の犠牲者が発生し、町は悲しみに暮れたのです。

洞爺丸事故

子供の頃の夏の日は、近所の大森浜へ海水浴に出かけることが日課でした。調べてみると、当時、函館の八月の平均気温は二〇℃でした。そのため、泳いだ後は必ず焚火で体を温めた記憶があります。ちなみに現在の平均気温は二五℃で、六〇年ほどで五℃上がったことになります。

当時の函館は比較的裕福な町でした。イカ釣り漁業、北洋漁業の基地であり、造船業も盛んで函館ドックなど大きな企業もありました。一九五五年の市の人口は約三〇万人で、市の歳入は二〇億円程度でした。当時の札幌市は人口約四二万人、歳入は約二四億円。名古屋市は人口約一〇〇万人で歳入は約一二一億円となっています。一人当たりの収入を見ると、函館が約七〇〇〇円、札幌が約六〇〇〇円、名古屋が約一万二〇〇〇円でした。

何と言っても夏の楽しみは、全市で行われる「港まつり」でした。中学高校生も仮装行列や函館音頭などの踊りで街を練り歩きました。そして祭りの最終日の夜には花火大会が盛大に行われ、北海道で最も活気のある街と言われていました。

しかし、この後、市は衰退の一途をたどります。現在の人口は市町村合併もあり、約二六万人となっていますが、観光以外は産業がない状況で、市の歳入は約一六〇〇億円です。札幌は人口が約二〇〇万人まで増え、歳入は一兆円を超えています。名古屋の人口は約二三〇万人で歳入は約二兆六〇

函館市の人口推移

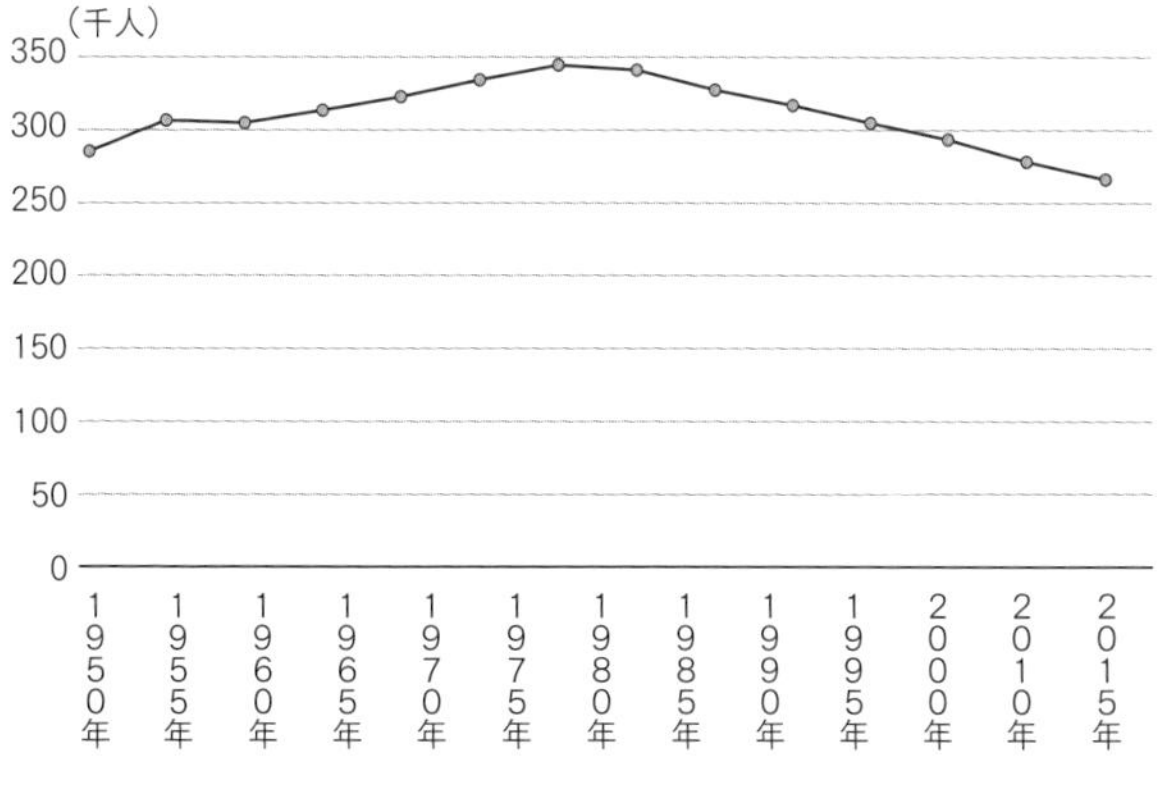

○○億円となっています。
現在、函館ではイカがほとんど獲れません。大森浜の近辺にはイカの加工会社が数多くありますが、大半は経営が苦しい状況にあると言われています。観光もコロナ禍のため、昔の面影はありません。ふるさとに残っている友人が、何とか観光だけでも復活できないか、と話していたのが印象的です。地方行政も長期的な観点で、いかにして産業を育てていくかが大事だと思います。

（二〇二一年八月三〇日開催分）

第三章
芸術の秋

オペラの思い出

九月になると、私が赴任していたロンドンはコートが必要な気候になります。そして、ロンドンっ子にとっては芸術に親しむ季節がやってくるのです。それにちなみ、ロンドンのオペラ事情をお話しします。

私はオペラについては無知で無粋者ですが、現地のお客様にオペラファンが非常に多く、観劇にお誘いする機会が多くありました。そうした関係から、欧州東海銀行はロイヤルオペラハウスのメンバーになり、私もにわかオペラファンとなって、

ロイヤルオペラハウス

アンジェラ・ゲオルギュー
（ソプラノ歌手）

パヴァロッティ（テノール歌手）

よくオペラ観劇に出かけました。

ロイヤルオペラハウスは、ロンドン市内の中心部であるコヴェントガーデンにあり、ロイヤルオペラハウスオーケストラ、ロイヤルオペラ、ロイヤルバレエ団の本拠地になっています。一九九六年から二〇〇〇年にかけ年間予算約三〇〇億円をかけて大改装を行い、二〇〇〇名以上の観客が収容できる四階建てのオペラハウスになりました。

『椿姫』『アイーダ』『トスカ』『ロミオとジュリエット』『蝶々夫人』などをここで鑑賞しましたが、歌手で記憶に残っているのはヨーロッパ随一の美人ソプラノ歌手のアンジェラ・ゲオルギュー、そして三大テノールの一人であるパヴァロッティです。また、印象に残っている作

『ポーギーとベス』（オペラ）
CDジャケット写真

品は、古典の重々しいオペラではなく、アメリカのジョージ・ガーシュウィン作曲の『ポーギーとベス』で、この中で澄んだ声のソプラノ歌手によって歌われたブルース調の『サマータイム』が今でも忘れられません。

オペラに関して、少し恥ずかしい思い出があります。シーズンが始まって最初の公演であるガラコンサートへ、日本から来たオペラファンのお客様と一緒に出かけることになりました。お客様が、ロイヤルオペラは格が高く、ガラコンサートはタキシードでなければ入場できないとお話しされたので、私もタキシードを着て出かけました。ところが、行ってみるとそのような装いは私たち二人だけでした。聞くところによると、タキシードはロイヤルメンバーの方が来る時に、歓迎の意味で着用するそうです。

豪華なオペラハウスはまさに大英帝国の栄華を彷彿《ほうふつ》させますが、一方、ポンドの価値は右肩下がりです。私が最初にイギリスに行った一九七〇年初めは、一ポンドが九五〇円前後でした。それが一九九二年のポンド危機の際は二三〇円、そして今は一五〇～一六〇円となっています。五〇年で約六分の一まで価格が下がりました。今金融界は円の運命がどうなるかに注目しています。
私も興味津々でマーケットを見ています。

（二〇二二年九月六日開催分）

ニューヨークのジャズ

銀行に勤めていた時、ニューヨークを二〇回以上仕事で訪れました。この街は人種のるつぼで弱肉強食、力の強い者が勝つ野獣の世界、強欲な狂気あふれる人間が虚勢を張りながら街を支え生きている、そういう思いがあります。そうした街の雑踏の中で働く日本人は得てしてひ弱で、何となく気後れしていました。

しかし、ほんのひと時だけ例外的な時期がありました。それは以前にもお話しした〝ジャパン・アズ・ナンバーワン〟の時代、一九八〇年代のことです。日本人が胸を張り、時には傲慢《ごうまん》ともいえる行動に出たこともありました。

アメリカの成功のシンボルといわれたロックフェラー・センターを三菱地所が買収し、ソニーが六七〇〇億円をはたいて映画会社のコロンビアを購入。続いてパナソニックもユニバーサルを七八〇〇億円で買収しました。アメリカの巨大企業を日本が買い漁った時代

ロックフェラー・センター

でした。私もお客様による不動産・企業の買収やアメリカの投資家向けに日本企業の説明会を行うため、アメリカを走り回った記憶があります。

　ニューヨークの滞在はいつも三〜五日。仕事を終えて日本に帰る前日は、よくジャズを聴きに行きました。行きつけのライブハウスは下町にある「ブルーノート」と、コロンバスサークルにある「ディジーズ・クラブ・コカコーラ」の二カ所です。

　雰囲気が全く異なり、ブルーノートは猥雑《わいざつ》で土の臭いがぷんぷんするような古くさい雰囲気。そこでは強烈にピアノの鍵盤を叩く強い音、耳をつんざくようなトランペットのハイテンションな音などにあふれ

ディジーズ・クラブ・コカコーラ

ブルーノート

たまさにジャズのエネルギーを身体中で感じられるライブハウスです。一方、ディジーズ・クラブ・コカコーラは高層ビルの上層階にあり、月明かりの中でニューヨークの摩天楼が眺められるロマンチックなジャズハウスです。こうしたところでニューヨーク出張の最後の夜を楽しみ、帰国するわけですが、日本のバブルはあっという間に崩壊。日本人が肩で風を切っていた時代は終わり、それから三〇年の長期停滞の時代に入ったのです。

一九九〇年のニューヨーク証券取引所の時価総額は二兆六〇〇〇億ドル（当時の為替レートで三七四兆円）でした。その後、三〇年間で時価総額は二五兆ドル（現在の為替レートで三六〇〇兆円）まで増えました。実に一〇倍近くにまで上昇したことになります。新興企業向け取引所のナスダックは時価増額二六〇〇兆円ですから、合計すると四三兆ドル（現在の為替レートで六二〇〇兆円）という一六倍の株価（ドルベース時価総額）上昇が、この三〇年強の間にアメリカで起きたことになります。

一方、東京証券取引所は、一九九〇年の時価総額（一部二部合計）は五八四兆円で、ニューヨークをはるかに上回っていました。しかし、その後の三二年間で時価総額は七三五兆円、一・三倍ほどの上昇に終わっています。つまり、ニューヨークの株式市場は日本の八倍以上の規模となっており、これほど日米に国力の格差が出てしまっている今、挽回のチャンスはあるのか、少しでも追いつくことができるのか、何とかしなければという強い思いが胸をよぎります。

（二〇二二年九月一三日開催分）

名画に触れる

ヨーロッパ駐在時に最も感激したのは、飛行機を使えば二時間前後でヨーロッパの主要都市に到着できるという、移動する時の利便性の高さでした。

ロンドンからマドリードへは二時間半、アムステルダムへは一時間、フィレンツェへは二時間で行くことができます。この利便性を利用して週末や祭日が重なる連休の日によく各地の美術館巡りをしました。

余談ですが、観光時は様々な事件も起きました。例えば、パリでは警察を装った自動車強盗に遭遇し、持ち物を召し上げられたり、ドイツの空港では足元に置いたバッグを盗まれて途方に暮れたりしたこともあります。

訪れた美術館は、オランダのゴッホ美術館、マウリッツハイス美術館、オーストリアのオーストリア・ギャラリー、ベルヴェデーレ宮殿、スペインのプラド美術館、イタリアのピッティ宮殿、一八世紀ヴェネツィア美術館、もちろんパリのルーブル美術館へもよく足を運びました。私が住んでいたロンドンには世界一の名画コレクターとも言われているナショナルギャラリーがあり幸せでした。

『オフィーリア』

鑑賞した名画の中で印象に残ったものを五つ選択するとしたら、次の作品になります。

まず最初はミレーの『オフィーリア』です。ハムレットの中の悲劇のヒロインであるオフィーリアの、川に沈む静謐《せいひつ》感あふれる死の姿には、心を奪われます。二番目はターナーの『雨、蒸気、速度』です。パワー全開で濃い霧から飛び出す機関車は、イギリスの産業革命の勢いを感じる作品です。三番目はクリムトの『接吻』です。男と女の非常に激しい愛の美しさを描いた、胸ときめく作品です。四番目はフェルメールの『真珠の耳飾りの少女』です。青いターバンを巻いた美少女のキラキラと輝くまなざしは、光の魔術師フェルメールの最高の作品と

『雨、蒸気、速度』

『真珠の耳飾りの少女』

『小椅子の聖母』

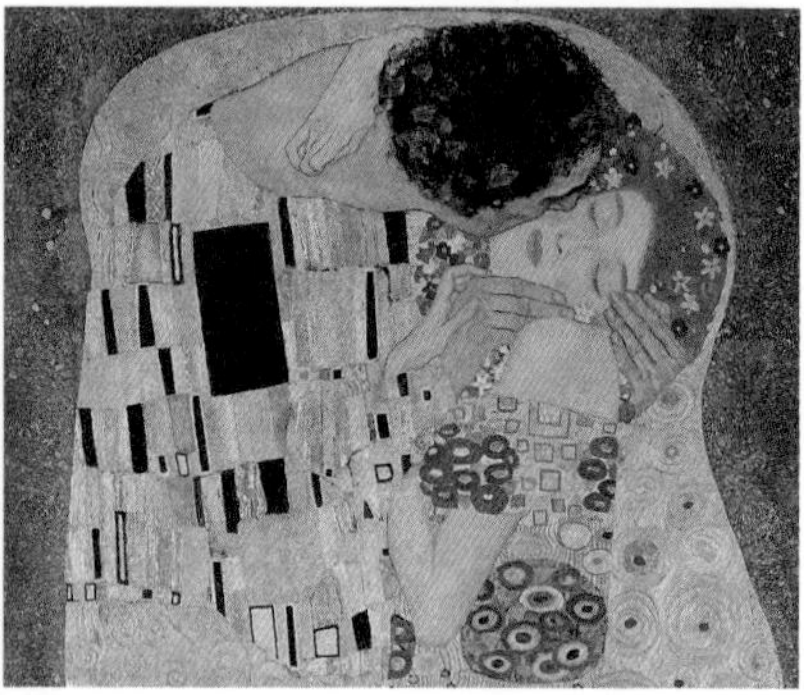

『接吻』

言われています。そして五番目はラファエロの『小椅子の聖母』です。慈愛に満ちた美しい聖母子の名画は、いつ見ても忘れ得ぬ母の愛情を思い出させてくれます。

二〇一九〜二〇年、世界の美術品市場はコロナの影響により低迷していました。しかし、二〇二一年は過去最高の売上高で六五〇億ドル（約七兆円）にのぼると言われています。また、二〇二一年のオークションの二五％は六名の巨匠の作品だったそうです。ピカソ、バスキア、モネ、リヒター、そしてゴッホなどです。

最近の美術オークションの特徴は、中国がアメリカを抜いて地域別販売の第一位となったことです。第二位がアメリカ、第三位がイギリス、第四位がフランス、日本はかつての勢いがなく番外です。最近の特徴として、モダンアートの人気が高まり、売買の五〇％以上になっているようです。買い手は若い投資家、ファンドのオーナー、スポーツやエンターテインメントの著名人などだそうです。日本でも最近、ＩＰＯを果たした経営者の中で現代絵画を集めることがステータスになり、現代絵画がブームになっています。

（二〇二二年九月二〇日開催分）

忘れ得ぬ演奏家

イギリスは金融立国だと言われています。金融の中心であるシティは、ロンドンの中心部にある面積二・九〇平方キロのエリアのことを言います。日本の市町村で最も小さな村である富山県舟橋村の三・四七平方キロより狭い地域に、一万一〇〇〇もの金融機関がオフィスを構えています。シティの東隣には「バービカン・センター」という文化施設があり、コンサートホール、劇場、美術館などが併設され、世界最高の芸術を堪能できる文化村とも言われています。また、バービカン・セ

バービカン・センター

五嶋みどりさん（ヴァイオリニスト）

内田光子さん（ピアニスト・指揮者）

ンターはロンドン交響楽団の本拠地であり、私はクラシック音楽の鑑賞でよく訪れました。

私が楽しんだ演奏家の中で印象に残っているプレーヤーとしては、まず内田光子さんを挙げたいと思います。一九四八年生まれの世界的なピアニストの内田さんはロンドンを拠点に演奏活動を行っており、モーツァルトのソナタ、協奏曲を全て演奏したことで有名になりました。バービカン・センターでロンドン交響楽団をバックにピアノ協奏曲を演奏した際、私は幸いにも内田さんの演奏を聴くことができました。演奏が終わると、観客全員がスタンディングオベーション、そしてブラボーの大声援が起こり、鳥肌が立ち、日本人として誇りを感じたことを覚えています。

もう一人はヴァイオリニストの五嶋みどりさんです。五嶋さんは早くから英才教育を受け、ニューヨークのジュリアード音楽院で学んでから世界へ飛び立ちました。五嶋さんの演奏も非常に衝撃的でした。ドヴォルザークのバイオリン協奏曲を、小柄な五嶋さんが全身を大きく波打つように動かして演奏する姿から、私は牛若丸が五条大橋の欄干を飛んで弁慶を打ち負かしたストーリーを思い出しました。この他、自由奔放な天才ピアニストであるマルタ・アルゲリッチ、世界最高のチェリストであるヨーヨー・マなどの演奏も心に響き、印象的で忘れることができません。

ロンドンは、このような一流演奏家の演奏を一〇ポンド（約一五〇〇円）から六五ポンド（約一万円弱）で聴くことができる環境にあります。演奏家には一演奏三〇〇万～五〇〇万円が支払われると聞きました。では日本で演奏する場合、一ステージどれくらいかと思って調べましたが、わかりませんでした。円安が進行しているため、日本には名演奏家が来ないのではないかと危惧しています。

九月は芸術の秋をテーマにお話をしましたが、一〇月は金融危機についてお話ししたいと思います。

（二〇二二年九月二七日開催分）

第四章

身構える秋

ポンドの危機

一〇月に入り、季節は秋。過ごしやすい気候となりました。

しかし、金融界にとっては恐ろしい秋、身構える秋、そして警戒を怠らない季節という認識があります。その理由は、世界の金融危機の大半は秋に発生しているからです。一九二九年のウォール街大暴落、一九八七年のブラックマンデー、一九九二年のポンド危機、さらには一九九七年のアジア通貨危機、それに続く同年の日本の銀行危機、その後エンロンショック、リーマンショックなどは全て九月から一二月に起きています。

私も多くの金融危機を経験していますが、まず思い出されるのは一九九二年のポンド危機です。欧州東海銀行に赴任して六ヶ月後、ポンド危機が発生し、まさにその日にイギリスの中央銀行である「バンク・オブ・イングランド」を訪問していたのです。ここは中央銀行であるとともに金融機関の監督機関でもあるため、私たちは財務状態などを年に数回説明するために訪れていました。

この時、バンク・オブ・イングランドの中はそれほど慌ただしい様子ではありませんでした。ただ、エレベーターの中には、公定歩合を一〇％から一二％に引き上げるという突然の金利引き上げ決定の貼り紙がありました。すぐ会社に電話を入れると、マーケットは大荒れ、ポンドは売りに売られ、欧州東海銀行は大損をしているという状況でした。

バンク・オブ・イングランド

ジョージ・ソロス

一時間ほどバンク・オブ・イングランドと話し合いをした後、エレベーターに乗るとまた貼り紙がありました。それは公定歩合を一五％に引き上げるという内容でした。まさにポンドの崩壊という歴史的事件が起きた時にその場にいたので、歴史の証人、事件の証人ということになります。仕掛け人である天才的な投資家、ジョージ・ソロスはこの取引において、円換算で一兆〜二兆円もの売りを仕掛け、二〇〇〇億〜三〇〇〇億円の利益を得たと言われています。

この頃のイギリスは景気が悪く、失業率は一〇%以上でした。しかし、イギリス政府はERM（欧州為替相場メカニズム）のメンバーであるため為替の調整を自らではできない状態にありました。この弱点をソロスが突いたのです。ポンドはその日に一〇%ほど切り下げられ、その後も売られ続けて三ヶ月で約三〇%ポンド安となり、二四〇円から一六〇円まで下がったのです。

現在（二〇二二年一〇月）もイギリスの通貨は売られています。物価高騰にも拘《かかわ》らず大型の減税

円／ポンドレート 1990年代

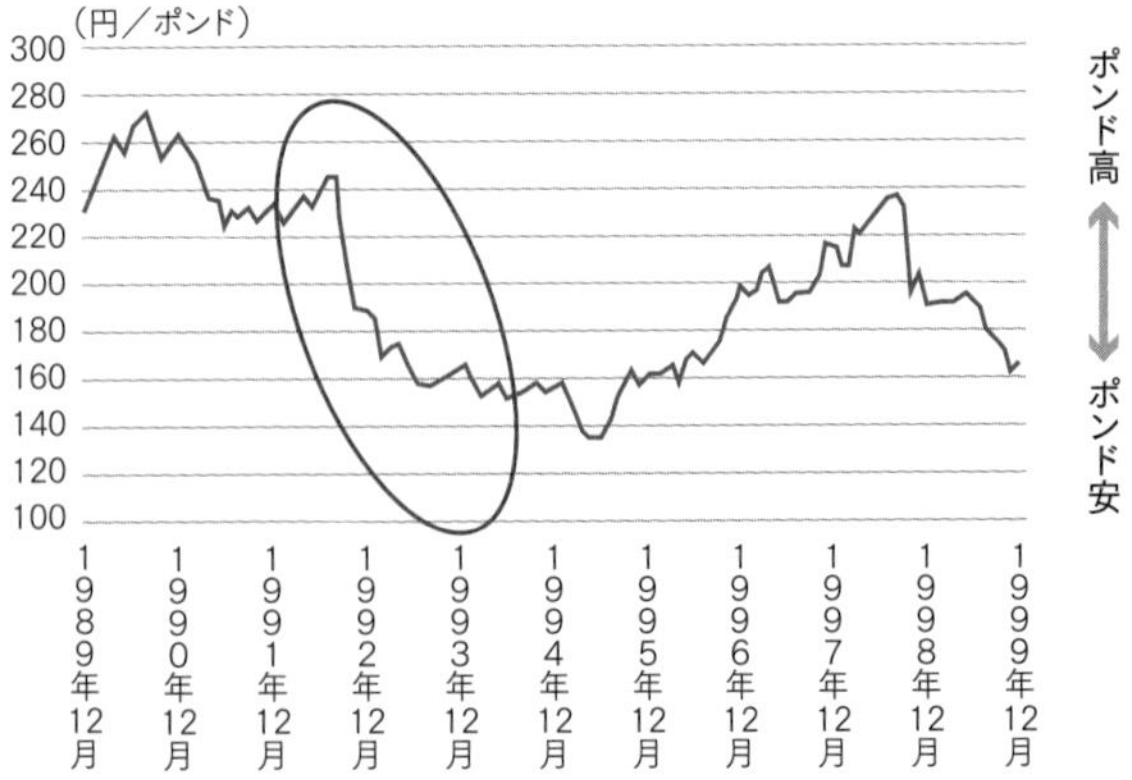

政策を行いたいという新首相の矛盾を突いてきています。世界の投資家、投機家は虎視《こし》眈々《たんたん》と金融市場のゆがみを狙っており、突然攻撃をしてきます。今、円も大きな攻撃対象になっています。黒田東彦総裁が交代する来年三月を狙い、一月頃から円の大きな揺れ動きがあるとささやかれているのです。

（二〇二二年一〇月四日開催分）

アジア通貨危機

一九九七年一一月、韓国はＩＭＦ（国際通貨基金）に緊急融資を申請しました。その発端となったのが一九九七年七月に起こったタイの通貨危機で、その後インドネシア、マレーシア、フィリピンなどアジア各国の通貨が、ヘッジファンドなどによる強烈な売り攻勢を浴びました。そして、これら一連の動きの対象国が韓国に移ったとのことです。

韓国は当初ウォン防衛のために為替介入などを行い、しばらくは耐えていましたが、ついに耐えきれなくなって一一月にＩＭＦへ緊急融資を申請しました。

ＩＭＦはこの融資申請に対し大変厳しい姿勢を示し、その結果、韓国中央銀行は緊縮財政、高金利政策を余儀なくされ、多くの企業が倒産しました。ノンバンクはほとんど営業停止となり、韓国経済は混乱の極みに陥り、まさに韓国は恐ろしい秋（awful autumn）を経験したのです。

アジア通貨危機の発端となったタイには、海外から巨額な資本が流入し、それは一九八〇年代の経済成長に大いに貢献したのですが、投資資金の大半は短期資金でした。その一部は不動産などの投機的・長期的な分野にも使用されていたと言われています。

韓国中央銀行

アメリカがドル高政策を取ったため、ドルペッグ制を取っていたバーツも自動的にその価格が上がり、輸出競争力が落ちて経常収支も赤字になり、そして借入額も膨張したのです。私は一九九七年六月まで欧州東海銀行にいたのですが、去る直前にトレーダーはタイの中央銀行と連絡を取りながら、通貨安政策を取らないという情報を得てバーツを買っていました。そのため五月までは相当利益を上げていたのですが、バーツへの攻撃が高まり、結局七月にはバーツは切り下げとなり、結果的に欧州東海銀行は大きな損失を被りました。

タイバーツは数ヶ月で三〇％切り下げたのですが、その時の大蔵大臣は私の若い頃の友人でした。彼は通貨価値を維持したいと考えながら、結局は切り下げを余儀なくされたことを悔やんでいました。要因の一つは、内部の裏切りもあると話していました。中央銀行、大蔵省のスタッフ、幹部が我先にとバーツを売り、国内資産を持って海外へ逃げたのです。通貨が毀損した要因は、当事者が片棒を担いでいたということです。

アジア通貨危機をきっかけにしてＧ20、新興国を加えた世界主要二〇カ国の外務大臣、中央銀行総裁などによる会議が一九九九年にスタートしました。その閣僚級会議は、リーマンショックがあった二〇〇八年からは首脳級が集う、いわばサミットに形を変えています。ただ、分断の時代を迎えてＧ20の議論はなかなかまとまりません。また、別の新興グループがＢＲＩＣＳなどの組織をつくっており、国際金融界は一枚岩ではなくなってきたのです。

アジア通貨危機の対象国

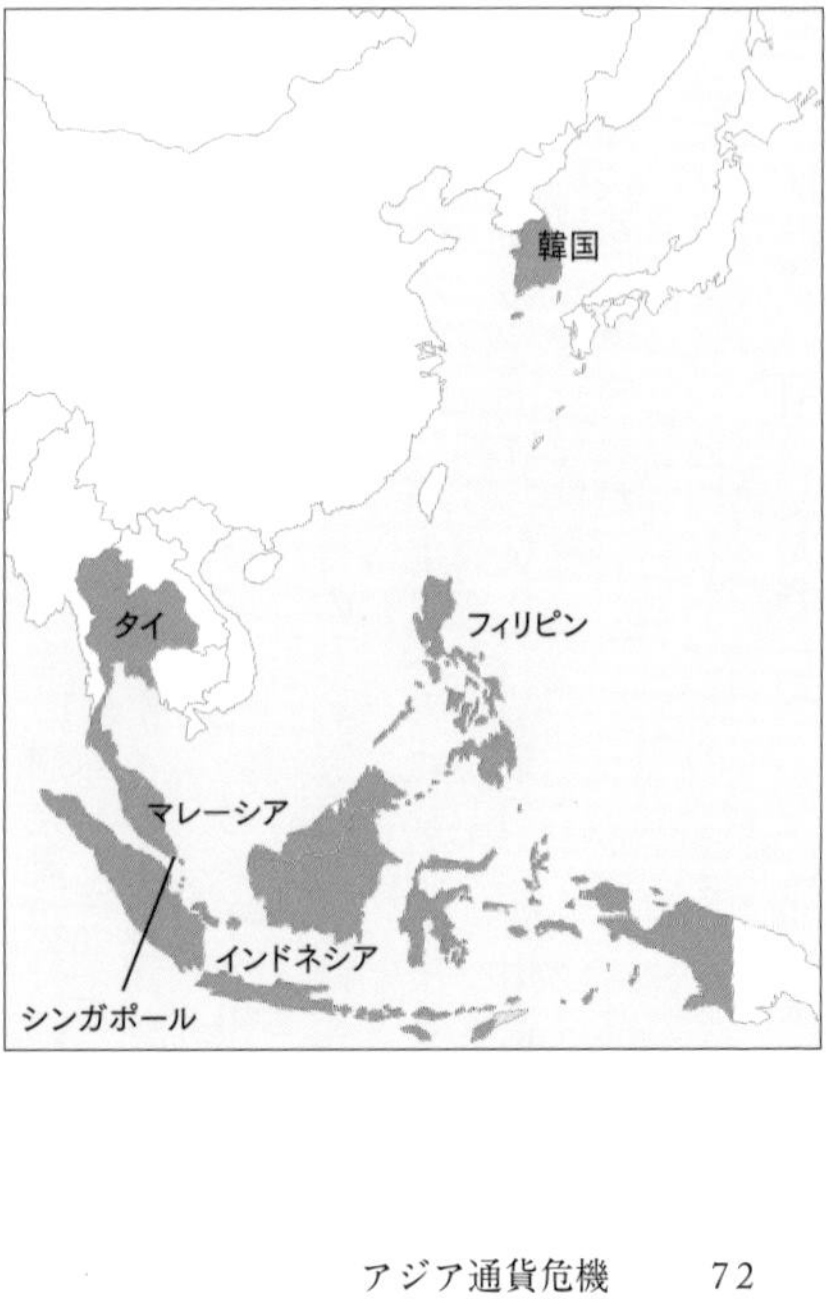

今、金融マーケットは非常に揺れています。
金融危機が発生するかどうか懸念しています。
もし発生した場合、現状の体制で対応できるのかを私たちは心配しています。

（二〇二二年一〇月一一日開催分）

アジア通貨危機時 各通貨の値動き
（対USD 1995年末を100として指数化）

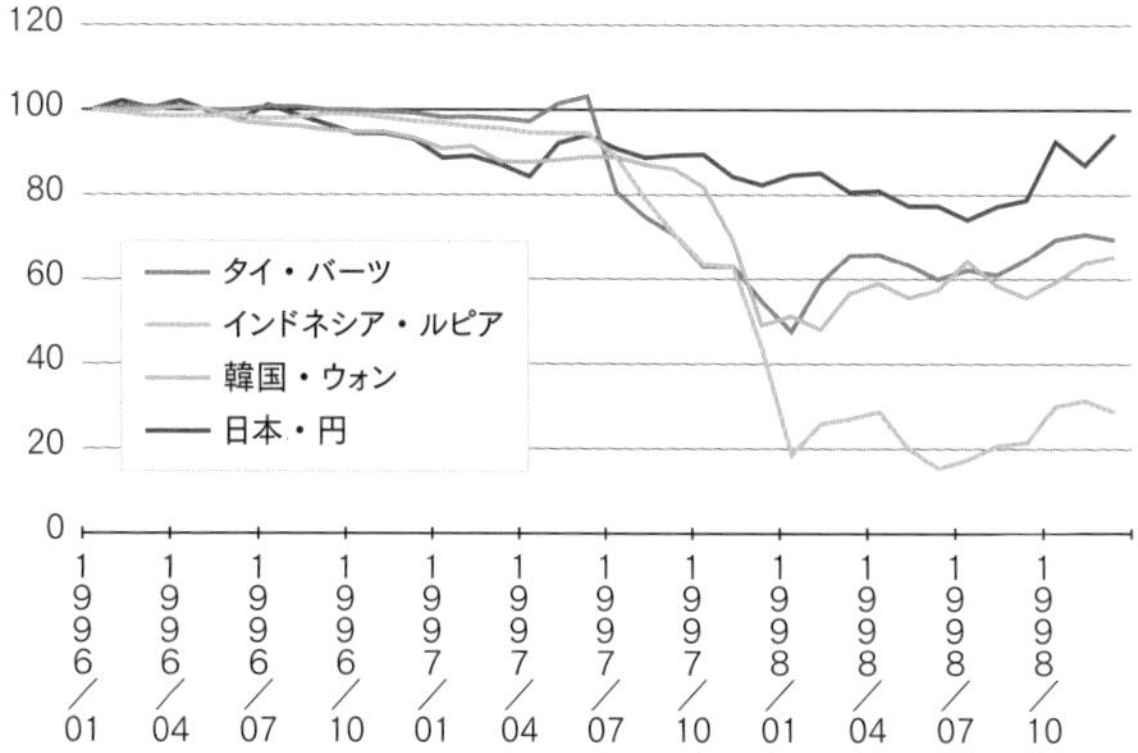

出所：ブルームバーグ

日本の金融危機

一九九七年一一月は日本の金融機関にとって暗黒の月でした。一一月の一ヶ月で三洋証券、北海道拓殖銀行、山一證券といった大手金融機関が次々に破綻しました。これらが報道され、世界は日本の金融システムの弱さ、脆弱性を警戒しました。

私はロンドンから帰国して、東海銀行の市場部門、国際部門のトップを兼務し、緊張の日々を過ごしていました。両部門ともドルを調達するというミッションがありましたが、国際金融市場から日本の金融機関が締め出される兆候があった時に、このミッションをやり遂げるのはかなり大変なことでした。

一週間のドル借入れはもちろん、円とドルとのスワップもほとんどの欧米金融機関から断られました。やむを得ず一日、二日といった短期の借入れをしたいとマーケットに出ていくのですが、短期の資金ですらマーケットの金利に相当のプレミアムを乗せないと借入

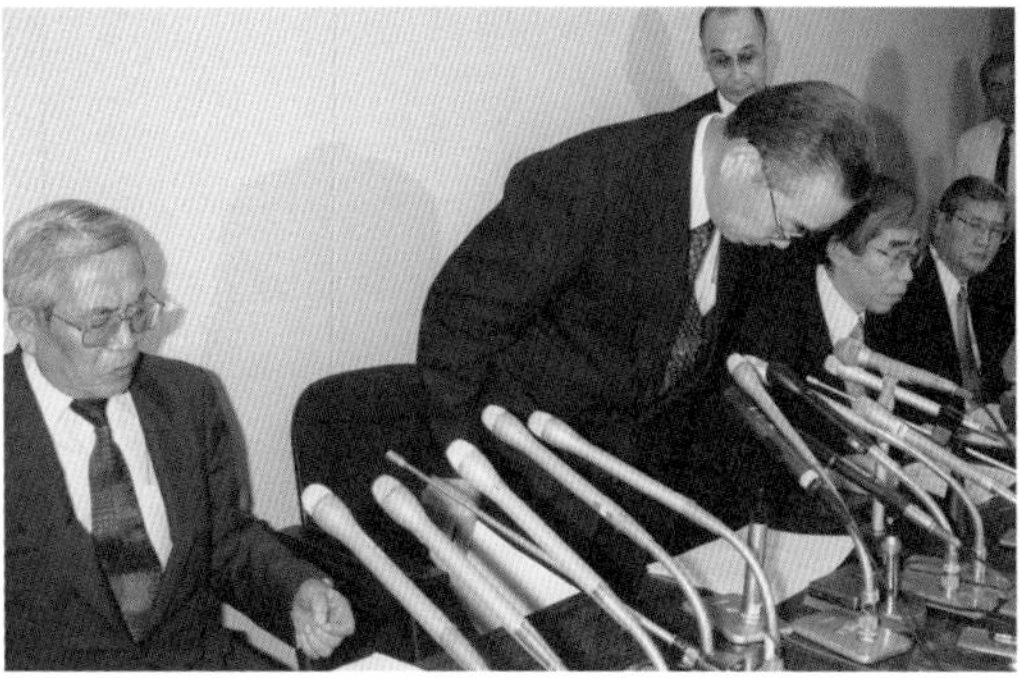

山一證券自主廃業記者会見

れできない状況でした。屈辱的ではありましたが、これが当時の日本の金融機関が直面していた現実でした。ドル調達はニューヨーク、ロンドン、時差の関係で二四時間体制で対応したことを覚えています。毎日資金繰りを綿密に計算しながら頭を悩ませ、もしかしたら破綻するかもしれないという緊張感で震えるような毎日でした。

　その後も日本の金融機関の危機は続きました。長銀、日債銀が破綻し、ついには都市銀行一二行、長信銀三行の一五行のうち、三菱銀行を除く一四行が公的資金を入れました。大々的な金融再編が行われたことで、日本の金融機関のメルトダウンを何とか回避することができました。結局、日本の金融機関は三菱を除き全て倒産状態にあったということだと思っています。

　東海銀行は三和銀行との合併を経て、最終的には三菱ＵＦＪ銀行となり、何とか単独行としての破綻は免れました。当時、私は東海銀行の経営会議のメンバーでしたが、銀行の苦境は啞然とするものでした。日本の金融機関、金融システムは崩れるべくして崩れるという状況を目の当たりにしたのです。

日本の銀行は一九八〇年代後半から九〇年代にかけての不動産バブルの後遺症を負っていました。そこに前回お話ししたアジア通貨危機が発生し、日本の景気が悪化して市場不安が出てきて追い打ちをかけたのです。

これまでの銀行の経営は〝赤信号、みんなで渡れば怖くない〟というもの。他の銀行が貸せば、信用に若干懸念があっても自分の銀行も貸出して各行が各々の取引先に貸しつ貸されつ、いわばもたれ合いの状態になっていたのです。そして、お互いに回収できずに蟻

大手金融機関の経営統合

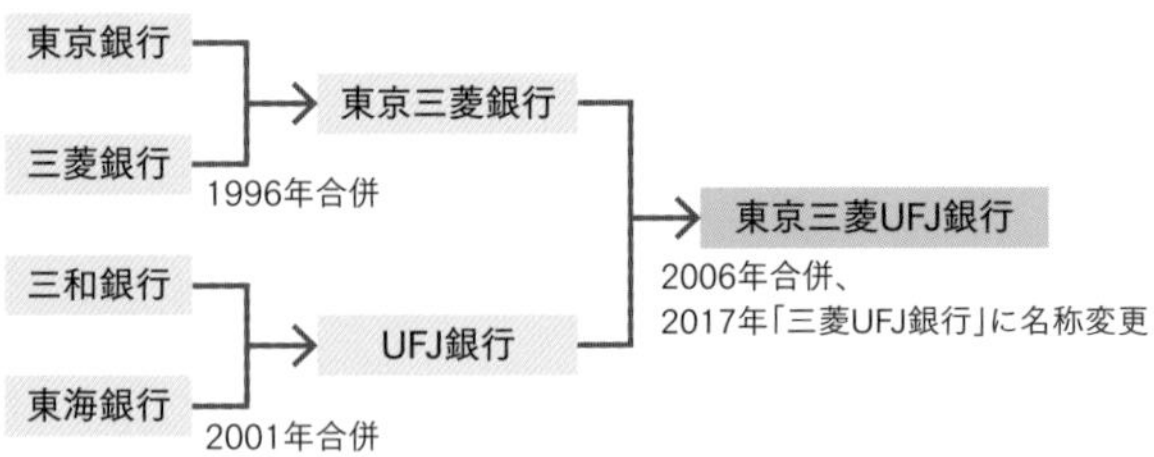

地獄の状況になっていたのです。経営不在、ガバナンス不在の状況で、今考えても後悔の念に駆られます。

金融は経済の血液です。血液が止まれば、肉体は死を迎えます。金融機関、特に銀行は使命と社会的責任をしっかり自覚し、謙虚な姿勢で経営を行うべきと考えます。

（二〇二二年一〇月一八日開催分）

日経平均株価（月末終値）

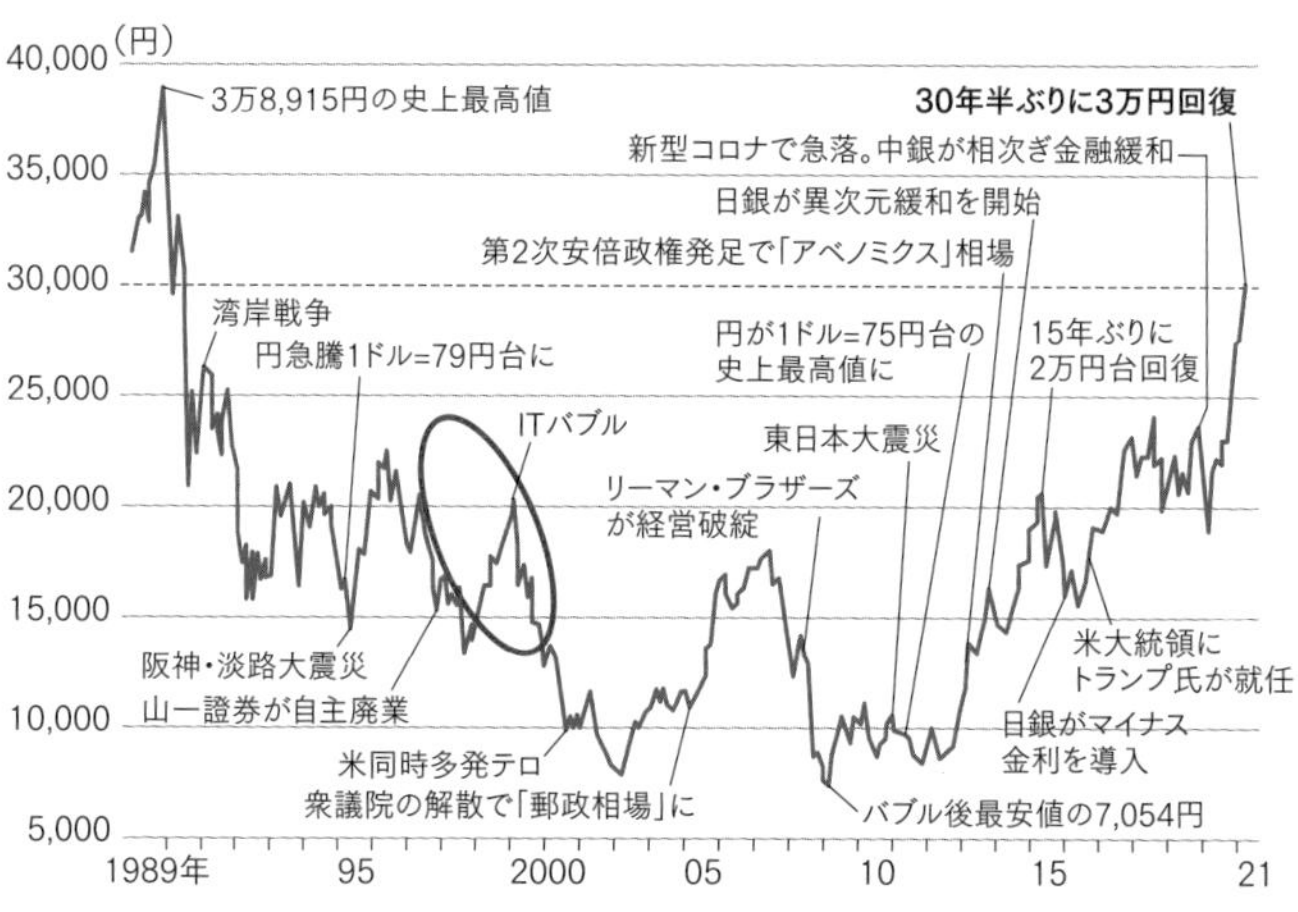

リーマンショック

リーマン・ブラザーズの破綻は二〇〇八年九月でした。

アメリカは一九七〇年代から八〇年代初期までスタグフレーションに悩んでいました。しかし、ＦＲＢ議長の果敢な行動（高金利政策）によって経済は回復し、八〇年代後半から二〇〇〇年代初めまでは大いなる安定期と言われ、順調な成長を遂げました。株価も堅調でした。当時、ＧＤＰの成長率は年率四％、ナスダックは一九九〇年の四五〇ドルから二〇〇〇年の五〇〇〇ドルと、一〇年間で一一倍になりました。また、ダウは二七〇〇ドルから一万二〇〇〇ドルと、一〇年間で五倍伸びました。

株価は、二〇〇〇年のＩＴバブルで若干つまずきましたが、ＦＲＢの低金利政策によって克服し、二〇〇七年まで上昇を続けました。この時代、ニューヨーク、あるいは全世界を肩で風を切って歩いていたのが投資銀行の面々でした。アメリカの一流大学院のＭＢＡ

卒業生七割は、投資銀行に就職したと言われました。

しかし、この誇り高き投資銀行を破綻の淵に追い込んだのがリーマン危機でした。信用力のないサブプライムローンなどを寄せ集め、債券にして高金利で世界に販売していたのですが、強欲な投資銀行は、高金利を目当てに自分のグループでもそのような債券に相当投資（保有）をしていたのです。これが大きな問題となりました。サブプライムローンの中には、ノーインカム、ノージョブ、ノーアセットの人たちへの「ニンジャローン（ＮＩＮＪＡ）」と言われるものも入っており、当然それらは時間が経つに連れ不良化し、これらを担保にした債券は回収不能となり、それらを多く持っていたリーマンなどの金融機関が破綻したのです。

アメリカの財務省とＦＲＢは金融恐慌を回避すべく、反対する議会を説得して金融機関に公的資金を投入し、何とか金融危機、破綻を免れたのです。しかし、実態は全ての投資銀行が破綻状態にあったのです。たまたま日

リーマン・ブラザーズ看板撤去

本の銀行は九〇年代のバブル崩壊に懲りて、サブプライムローンのプロダクツをほとんど持っていませんでした。ただ株価はリーマン危機によって米国株が急落（ナスダックは二八〇〇ドルから一五〇〇ドル、ダウは一万三〇〇〇ドルから七〇〇〇ドル）。その余波を受け、日経平均も一万八〇〇〇円から七八〇〇円に下落したのです。世界はまさに混乱状態に陥りました。

　リーマン危機から一五年が経とうとしています。日本の銀行は業績が低迷し、難しい時期を迎えています。一方、アメリカの投資銀行は銀証連携ビジネスを推進することで完全に復活しました。四月から六月（二〇二二年）における日本のメガバンクの税引前利益

米国主要株価指数の推移（1990年1月2日=100）

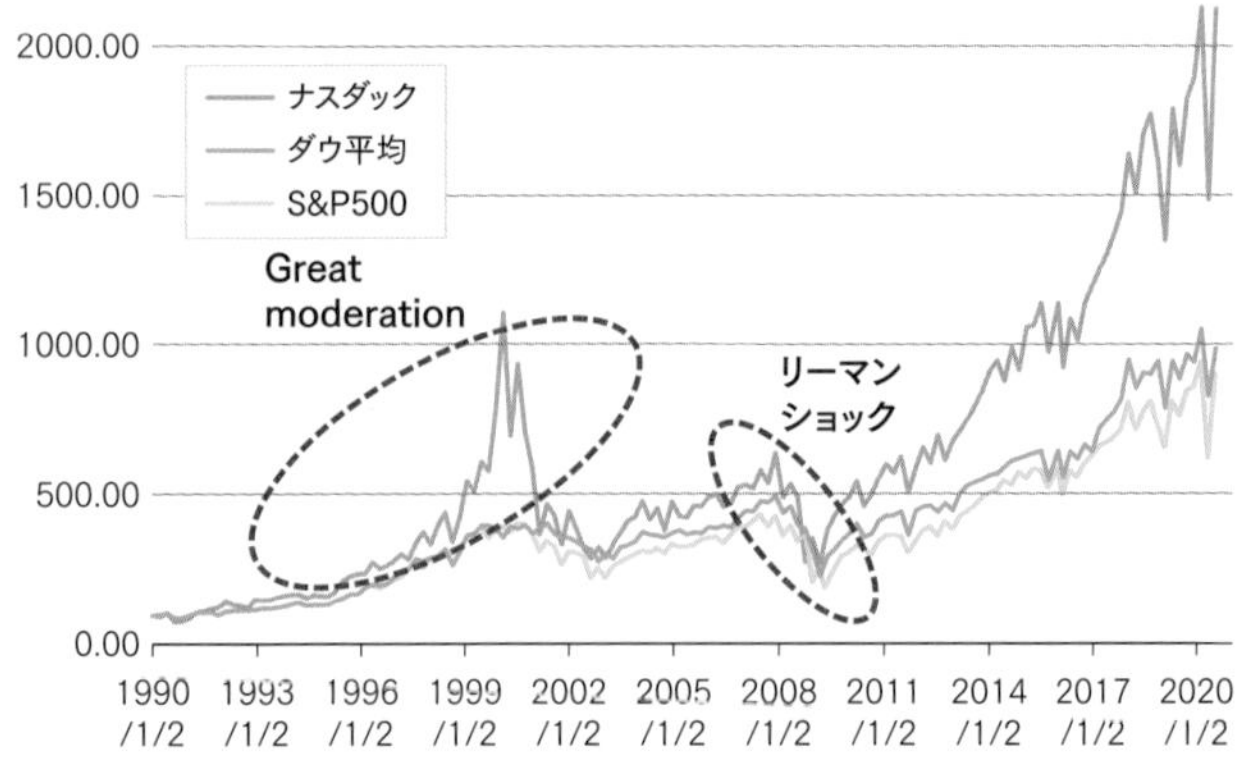

は三〇〇〇億円前後でしたが、アメリカの投資銀行は四七〇〇億円から四八〇〇億円で、差がついているのです。

現在マーケットは異常な状態にあります。物価が高騰し、金利は急騰、株価は低迷し、金融機関の信用力が非常に懸念されています。しかし、リーマン危機を教訓に、アメリカの銀行規制は非常に厳しくなり、そのお陰で、アメリカの金融機関は比較的健全と言われています。問題はヨーロッパの銀行と新興国の金融機関です。

今、ヨーロッパの銀行の株価は急速に下落しています。金融危機は突然やってくると言われています。私たちは嵐の襲来がいつあってもおかしくないという感覚でガードを固め

米金融機関の再編

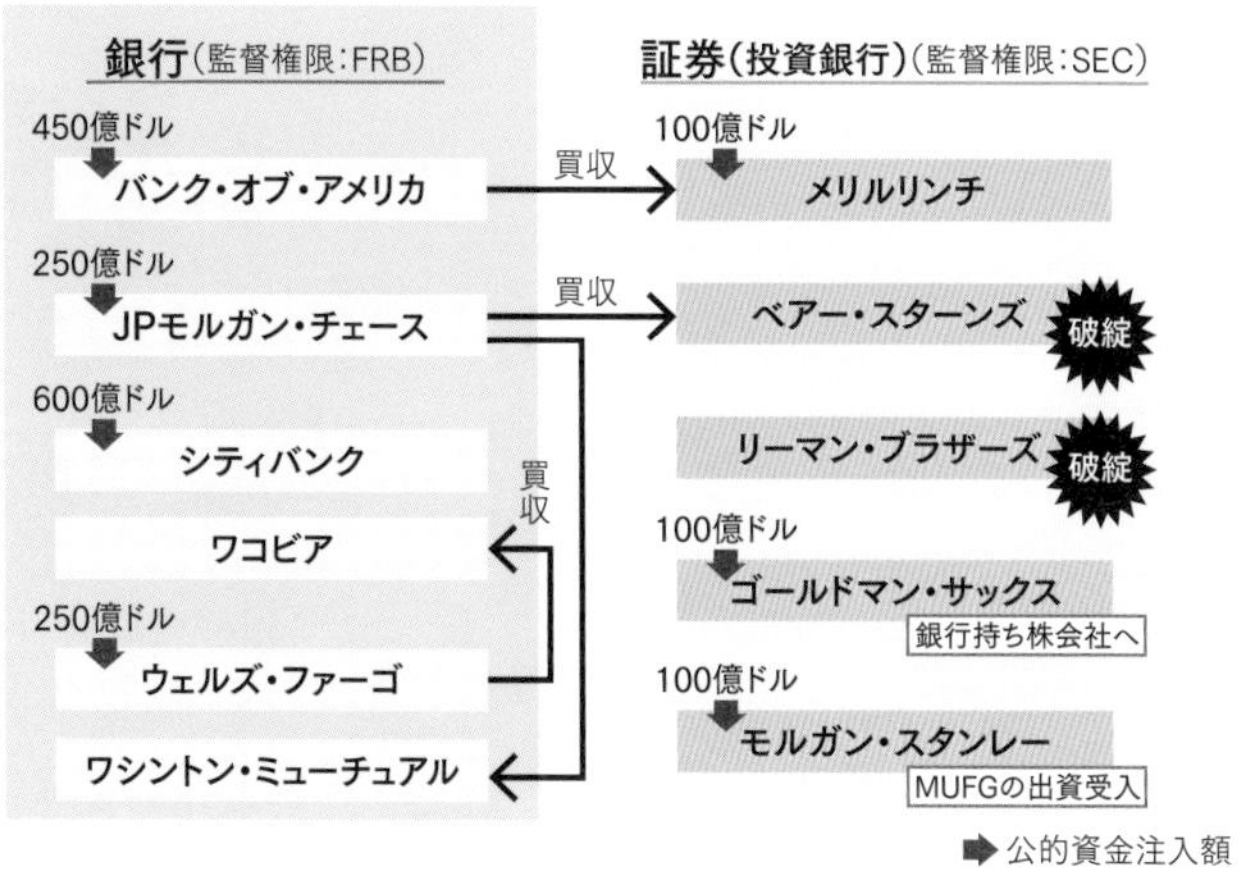

ています。リーマン危機といい、邦銀危機といい、経済を混乱させる元凶、それは金融機関。何と言っても罪深いのは金融機関というのが私の実感です。

（二〇二二年一〇月二五日開催分）

第五章
国際金融機関総会

米州開発銀行

世界には多くの国際機関があります。金融機関ではＩＭＦ、世界銀行、米州開発銀行、欧州復興開発銀行、アジア開発銀行などです。これらの年次総会は通常であれば各機関の所在地で行われますが、何年かに一度は世界各地で行われます。

私が最初に国際機関の会議に出席したのは、一九九五年の米州開発銀行総会で開催地はイスラエルの首都エルサレムでした。

イスラエルは第四次中東戦争が終わって二〇年が経過していたのですが、パレスチナ帰属問題などによって国内はピリピリしていました。エルサレムの空港から市内へ向かう途中の光景は、日本人にとっては戦慄を覚えるものでした。高速道路の周辺は寂寥《せきりよう》とした砂漠ですが、そこに焼け焦げた戦車や武器がこれ見よがしに放置されているのです。エルサレムの街には、笑顔もなく、人々は緊張した面持ちで小走りに行き交っている、そんな状

嘆きの壁

況でした。

会議の合間に、私たちはエルサレムの街を観光しましたが、この街の生い立ち、歴史、街の有り様、生きざまに人間の本源的な強さを感じ、不思議な精神の高揚を感じたのを覚えています。

エルサレムはユダヤ教、イスラム教、キリスト教の聖地と言われ、ユダヤ教徒の聖地である「嘆きの壁」、イスラム教の預言者ムハンマドの昇天の地「岩のドーム」、イエスキリストが十字架を背負って歩き、処刑された「ゴルゴタの丘」など、人類の歴史があちこちに点在している街です。そのような異教徒の信者が、本当に狭い土地の中でお互いに憎悪と不信感を抱きながら隣り合わせで住んで

岩のドーム

ゴルゴタの丘

いる。本当に不思議な場所でした。人類の醜い争いの歴史と、それを克服するための救世を求める現実が交差し、日本人にとっては理解しがたい心が震えるような、心がえぐられるような緊張感あふれる街、それがエルサレムでした。

驚きの悲報が飛び込んできたのは、その総会が終わって二ヶ月が経過した一一月四日でした。和平路線に反対する極右のユダヤ人がラビン首相を暗殺しました。このニュースを聞いた時には、驚きと同時に現実の非情さを感じました。ラビン首相はこの時の米州開発銀行の総会でも、厳かに、慎ましく〝平和〟への導きについて演説。そして、聴衆者全員から大拍手を受けたばかりだったからです。イスラエルではいつも国を挙げて平和についての議論が行われていると聞いています。今般の安倍晋三元首相銃撃のニュースがイスラエルでは非常に大きく取り上げられ、ラビン首相暗殺を国民に思い出させたと言われています。

現在、社会情勢は非常に騒がしい状態ですが、日本の若い世代に国家とは何か、平和とは何かを真剣に考える気運が盛り上がることを期待しています。

（二〇二二年一一月一日開催分）

イツハク・ラビン
元イスラエル首相

世界銀行総会　ペルー

二〇一五年、世界銀行総会の開催地はペルーのリマでした。私は、この総会に東海東京フィナンシャルグループの顧問でもある元財務官と一緒に参加しました。ペルーに行く前に、この元財務官の提案でメキシコに寄り、メキシコ中央銀行などを訪問しようということになりました。私は両国とも初めての訪問で、不安や期待など色々な感情が入り混じっての出張でした。

メキシコシティは標高二二四〇メートルの街で、なぜか地盤沈下が進んでいるようでした。商店街の店舗は床がデコボコで軒も歪んでおり、大丈夫なのかと心配した記憶があります。メキシコでは大歓迎を受け、メキシコ中銀の総裁自らが面会の場を設けてくださり、世界の情勢などについて意見交換する機会がありました。また、メキシコの元財務省幹部や駐日大使館などに勤務していた女性が集まり、夕食会を催してもくれました。この歓迎の背景には、一九九四～九五年のメキシコ通貨危機がありました。

当時のメキシコは二〇％以上のインフレとともに、ドルペッグ制によって通貨は切り上げられ、経済は困窮状態にありました。この年は大統領候補の暗殺事件など社会的混乱もあり、メキシコはドルペッグ制を廃止せざるを得なくなりました。途端にペソは五〇％以上の切り下げになり、ＩＭＦの融資を受けることになったのです。

世界銀行総会（ペルー・リマ 2015年）

メキシコ中央銀行

しかし、この融資だけでは経済が回復しないため、日本に支援を求めてきました。バブル崩壊後ではありましたが、日本は経済大国として未だ財政状態、外貨準備にそれなりの余裕があったため、メキシコを支援しました。その結果、メキシコは何とか危機から逃れることができたのです。当時、日本のＯＤＡ

（政府開発援助）の支出額は世界一で、その額は二兆円。メキシコの高官たちは、この時の恩を忘れていないようでした。

リマでの世銀総会のテーマの一つは、人民元をＳＤＲ（特別引出権）の構成通貨にするかどうかでした。当時、ＳＤＲはアメリカドル、ユーロ、円、ポンドの四通貨で構成されていました、中国が貿易額を増やし、世界経済の中で存在感を増していました。元の構成通貨入りは満場一致で歓迎され、その時の人民銀行総裁の自信にあふれたスピーチが忘れられません。

世銀総会の合間に、ペルーの有名な観光地であるマチュピチュへ行きました。険しいアンデスの山の中に突然要塞都市が現れます。この都市の壮大さと周囲の山々の美しさは見事で、心奪われる

メキシコペソ／米ドル レート（1990年代）

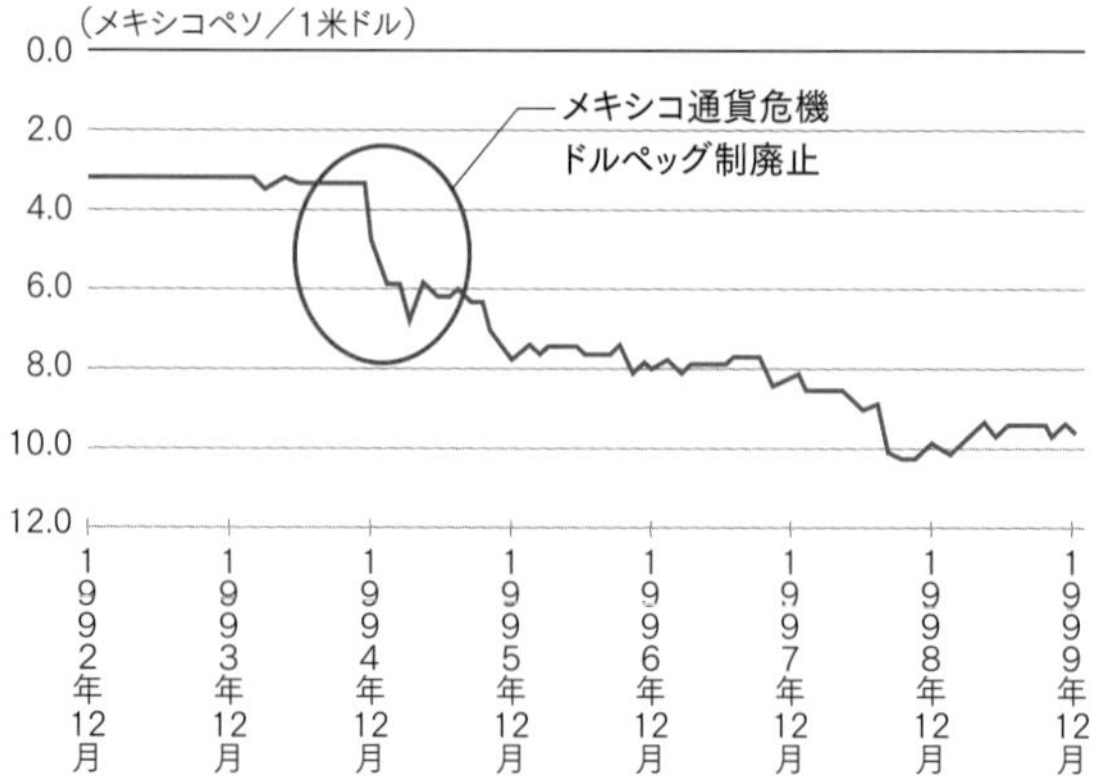

マチュピチュ

光景でした。この高度な土木技術と文化レベルの高さを感じられるマチュピチュ登山は、滅亡したインカ帝国へのロマンが無性に掻き立てられる思い出深い旅になりました。

中南米は資源が豊富で、人口も多く、気候にも恵まれています。ただ、残念ながら経済成長は低いというのが現実です。例えば、中南米一三カ国が加盟しているラテンアメリカ統合連合のＧＤＰ成長率は二〇〇〇年から二〇年間で倍になっていますが、アジア一〇カ国が加盟しているＡＳＥＡＮの成長率は同じ二〇年間で五倍です。

国の経済的成長、繁栄の源泉は一体何でしょうか。色々な説がありますが、ベースは教育による人材のレベルと層の厚さ、そして産業を創出する国のエネルギーと言われています。今、日本の産業競争力は大きく落ちています。日本が抱えている国力の黄昏状況は教育、産業創出のエネルギーと関係があるかもしれない。そう考えさせられる中南米の出張でした。

（二〇二二年一一月八日開催分）

世界銀行総会　バリ

インドネシアのバリ島ではＧ20のサミットが開かれました。私は二〇一八年に世界銀行のＩＭＦ総会参加のために同地を訪れています。

当時はバリ島近くの火山が噴火し、五〇〇人以上の住民が亡くなったため、総会の開催について是非を問う議論があったと聞きました。インドネシア政府は総会に備え、万が一のための軍艦まで配備し警備を固め、安全確保に努めたと言われています。

ジョコ　インドネシア大統領

この総会の冒頭、インドネシアのジョコ大統領は極めて印象的な演説をしました。真っ白な背広に身を包んだ大統領は、ますます激化する米中貿易摩擦、そして先進国の金融政策引き締めの影響による金利の上昇、インド

『ゲーム・オブ・スローンズ』のワンシーン

ネシアのような新興国は行き場のない、苦しい場面に直面していると切々と語りました。

参加者が驚いたのはその演出です。大統領の演説台の後ろに非常に大きなスクリーンが設置され、当時人気を集めたテレビドラマ『ゲーム・オブ・スローンズ』のシーンが次々と流されたのです。これは架空の世界を舞台に複数の名家が覇権を争うアドベンチャードラマでしたが、今の世界はまさにこの状態ということを示唆していました。そのスクリーンの前で、我々人類にとっては冬来たるの状況であり、対立と衝突を避ける努力をするべきと力説する大統領を参加者は熱狂的な拍手で讃えたのです。

残念ながら世界情勢は大統領が予言した通り、冬の時代を迎えています。大統領の先を見越す力、高いレベルの慧眼《けいがん》に脱帽せざるを得ません。そして、多くの人々を魅了するアピール力に敬意を表します。日本は黄昏れている、国力が低下していると言われています。

やはりリーダーの資質にも何か原因があるのではないかと思わせる話です。

ちなみにインドネシアは高い成長を続けており、五年間のＧＤＰ成長率は五%と、日本より高いのはもちろんＡＳＥＡＮの中でも最高です。

また、大統領は大胆な首都移転を表明しており、インドネシアの国会では関連する法案が可決されています。実現には多くの課題が残されているとも言われていますが、大統領の手腕に注目したいと思います。

（二〇二二年一一月一五日開催分）

GDP成長率 推移

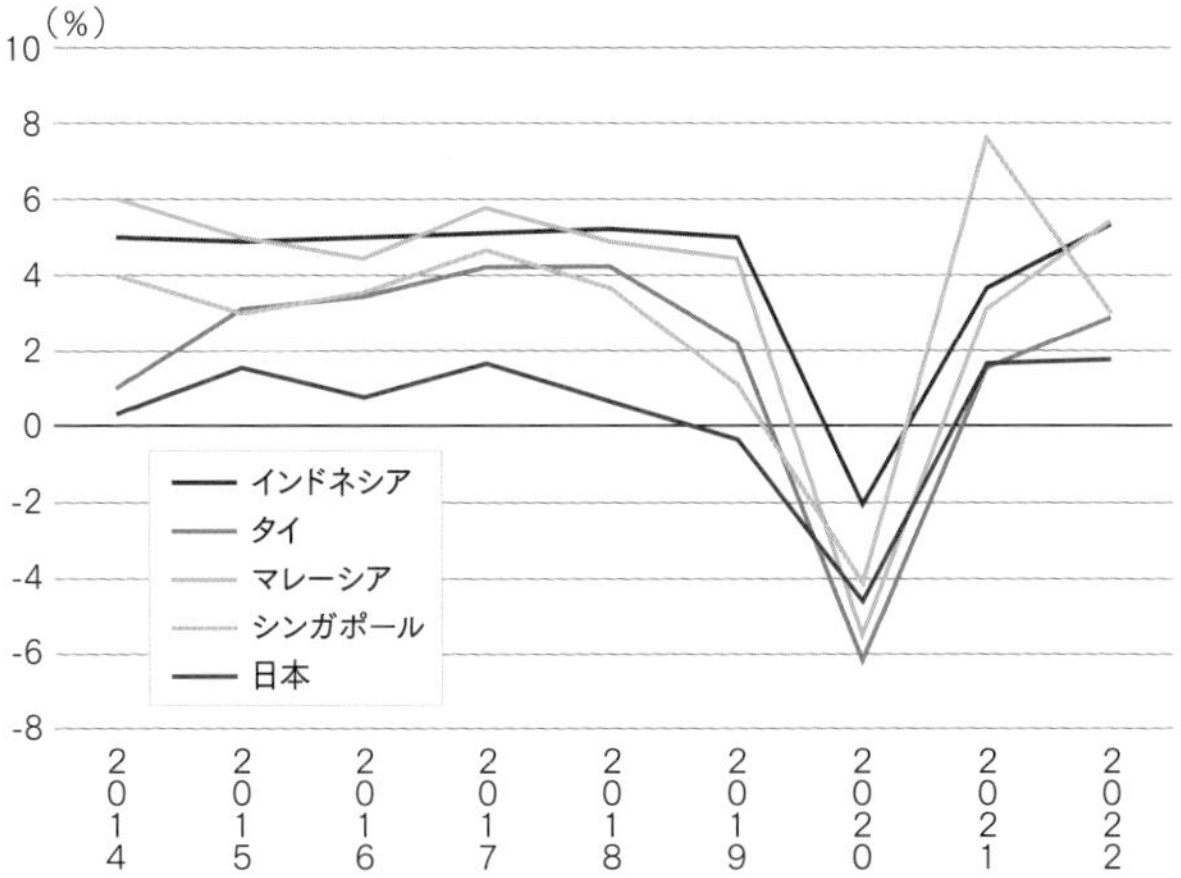

世界銀行総会　ワシントンＤＣ

皆さんは〝一七年ゼミ〟をご存じでしょうか。この一七年ゼミというのは、アメリカの北部で一七年ごとに大量発生する、目が真っ赤でとても不気味なセミのことです。

二〇〇四年、私はアメリカへ出張し、後にＦＲＢ議長になるバーナンキ氏と面談しました。ワシントンを訪問した際に驚いたのがセミの数でした。耳をつんざくような鳴き声と、木々にびっしりと張り付いたセミの大群。身体がむずがゆくなるような光景が広がっていました。

それから一七年経った二〇二一年、やはり一七年周期でセミが大量発生したということがアメリカ国内では大きく報道されていました。残念ながら二〇二一年のＩＭＦ世界銀行総会はコロナ禍のためＷＥＢによる開催となり、ワシントンでの不気味なセミとの遭遇は実現しませんでした。

これまでの話から、皆さんは世界銀行総会に出席するのは名目上で、観光が主目的なのではないかと思われるかもしれません。しかし声高く仕事もしていますと言わせてもらいます。

例えば、世界銀行の総会となると、世界の金融機関の幹部のほとんどが集まります。世界銀行、ノルウェー地方金融公社など債券を世界のマーケットで発行している国際機関も多数参加します。私たちはその債券の引受団に入れてもらうため、引受能力をアピールしなければなりません。また、国際資本市場の関係者が集うので〝通貨マフィア〟といわれる有力者と様々な話をすることも出席する理由の一つです。

17年ゼミ

それと同時に日本の財務大臣、日銀総裁、駐米大使等の要人が主催する懇談会にも出席します。ここでは海外という環境のせいか時々本音の話が出てくることもあり、楽しみな会となっています。ワシントンのロビイストや調査会社の事務所に出向いて幹部と面談し、アメリカの政治経済や金融情勢などを聞くのも目的の一つです。このように

ローレンス・サマーズ
元アメリカ財務長官

日頃お会いできない人たちと親交を深めることも世界銀行総会に出席する目的であります。

今までの出席で印象的だったのが、サマーズ元アメリカ財務長官が日本に対する厳しい見解を語ったことでした。二〇一七年にインド人の高官が主催した一〇名程度の夕食会がありました。ここでサマーズ氏は日銀の金融政策を厳しく批判しました。二%の物価目標は狂っている。日本の社会経済構造を考えたら、一%の物価目標を掲げ、金融だけでなく、産業政策、人口政策をパッケージにして同時に遂行しなければ、日本はいつか追いつめられると熱く語っていました。この先、日本はどうしようもなく歪んだ国家になると話していたのを覚えています。確かに日本はこの方向に向かっている気がします。

二〇〇四年から二〇二一年の一七年間、日本の国際金融界のポジション、ステータスは確実に下がっています。一人当たりのＧＤＰ（二〇〇九年）は世界二位の三万八〇〇〇ドルでしたが、現在は四万ドルで世界二三位です。また、世界銀行・ＩＭＦへの出資額は二〇〇四年が二〇〇〇億ドル。出資シェアは六・五%とアメリカに次いで二位でした。二〇二一年は四三〇億ドルまで増額し、ポジションは二位を保っていますが、中国の台頭が激しくなっています。中国の拠出額は二〇〇四年にわずか一〇〇億ドルでしたが、現在はほぼ日本と同等の額となっています。

世界銀行総会に出席すると中国の発言にみんな注目するのですが、日本の高官の発言に耳を傾ける人が少なくなっている気がしてなりません。今後、日本の復活のためにどうすればいいかについては、別の機会にお話ししたいと思います。

（二〇二二年一一月二二日開催分）

1人当たりのGDP推移

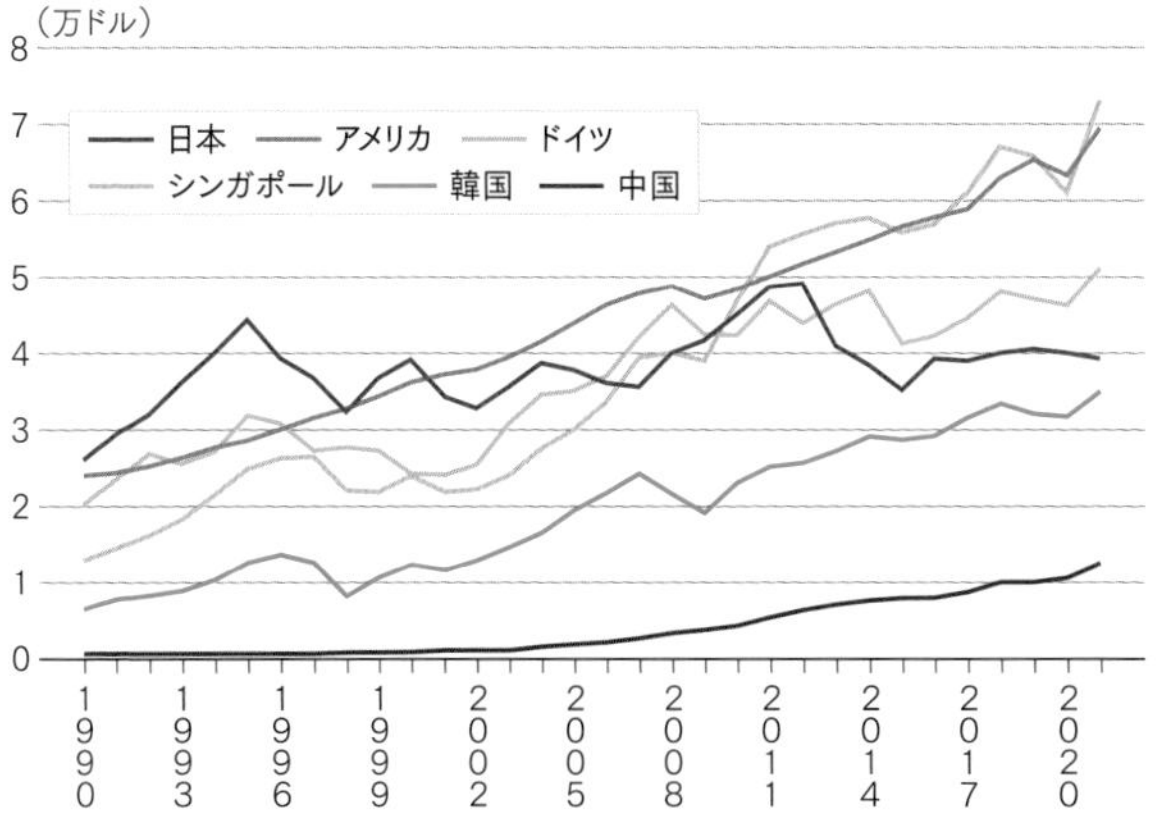

第六章
イギリスの天才たち

チャーチル

一九七一年、私は銀行の若手海外研修生として、東海銀行のロンドン支店へ派遣されました。

研修といっても季節労働者のような扱いで、朝から晩まで事務仕事に追われていました。当時はまだ地球温暖化がそれほど進んでおらず、ロンドンは曇天や雨の日が多くて憂鬱な気分によく襲われたことを覚えています。そういう中で、週末にロンドン市内や郊外を散策することが唯一の楽しみでした。

初めてのロンドン駐在。ロンドンの街には、大英帝国時代のレガシー（遺産）があちこちにあり、その偉大さに圧倒されたのです。テムズ川沿いの凛としたスフィンクス像、ビッグベンの威厳、大英博物館の偉容、ナショナルギャラリーが所蔵する世界的名画の数々。

ロンドン支店のローカルスタッフ幹部に、大英帝国のレガシーの素晴らしさに感動したことを話したら、その幹部は、こうした遺産が残っているのはチャーチルのお陰なんだと言ったのです。第二次世界大戦中、ナチスの攻勢によってイギリスが崩壊しそうになったが、チャーチルは必死にアメリカを説得し、連合国側に引き込み戦争に勝利した。だからこそ大英帝国の遺産が無傷で保存され、その偉容が光り輝いていると誇らしげに話してくれました。

テムズ川沿いのスフィンクス像

ただ、私が得た情報では、モンロー主義のアメリカが参戦を決意したのは、チャーチルの説得もあったとは思いますが、実際は日本のパールハーバー攻撃が大きな要因だったと聞いています。それ以来、先日テレビ愛知の『私の一冊』という番組（「特別収録」参照）でも紹介したチャーチルの『わが半生』をはじめ、チャーチルの本をいくつか読みました。

チャーチルの魅力は、不撓不屈のジョンブル魂と位高ければ徳高くあるべしというノブレス・オブリージュ、ウィットに富み、天才的ともいえる演説の上手さ、そし

ウィンストン・チャーチル

てお茶目でチャーミングな性格。こうしたものを備えているからチャーチルは万人に愛されていると言われています。

しかし、彼は決して優等生ではなく、子どもの頃はどちらかというと落ちこぼれでした。ラテン語や数学に弱く、小学生の頃の成績は下から五番目だったと告白しています。それでも中学から名門校（ハーロー校）に行ったのですが、やはり成績は悪くてケンブリッジやオックスフォード大学には進学できず、陸軍士官学校へ入学したのです。チャーチルの不撓不屈の精神は、この士官学校で鍛えられたと言われています。卒業後はすぐにキューバ、インド、南アフリカに赴き、勇猛果敢に戦火をくぐり抜けました。これでジョンブル魂を鍛えられたと本人は言っています。

チャーチルは若者を鼓舞する一文を著書に記しています。

「〝夢を持つこと〟。我々は自分が歩くにつれ、自分自身の宇宙を想像する。想像が強ければ強いほど宇宙は多様となる。この夢を捨てた瞬間に宇宙もまた不在となる」

チャーチルは一九六五年に亡くなりました。イギリスの衰退はほぼ同じ時期から始まっています。イギリスのＧＤＰは当時世界二位でしたが、現在は下がり続けて五位になっています。日本は一時一位、二位をキープしていましたが、現在は三位です。

日本は人口減少、高齢化、産業競争力の低下に直面し、世界の中でのポジションは下がり続けています。何とか頑張らなければならないとの思いを強くしている昨今です。

（二〇二二年一一月二九日開催分）

GDPランキング 推移

（10億US$）	1960年		1980年		2000年		2021年	
1	アメリカ	530	アメリカ	2,857	アメリカ	10,250	アメリカ	22,996
2	英国	71	日本	1,127	日本	4,968	中国	17,744
3	フランス	61	ドイツ	853	ドイツ	1,948	日本	4,932
4	中国	58	フランス	702	英国	1,665	ドイツ	4,262
5	日本	43	英国	603	フランス	1,366	英国	3,187
6	カナダ	40	イタリア	482	中国	1,205	インド	3,176
7	イタリア	39	中国	303	イタリア	1,147	フランス	2,957

カーベイ・アラムーティ

私は一九九二年に欧州東海銀行に赴任しました。欧州東海銀行の主要なビジネスは、欧州各国の国債、あるいは国債を原資産とするスワップなど、いわゆるデリバティブを売買するトレーディングでした。総勢一五〇名、そのうち日本人は一〇名程度で、主要な幹部、プレーヤー、スタッフはローカル社員でした。

当時開発されたばかりのデリバティブの価格設定はいくつかの複雑な数式で導き出されるハイレベルなもので、取引の参加者は極めて限定的でした。デリバティブ市場に参加できるのは博士級の数学的素養を持つトレーダーだけと言われていました。

欧州東海銀行はシティの中でも、デリバティブ市場のパイオニア的な存在でした。トレーディング技術、リスク管理のレベルは、シティに一〇〇〇以上ある金融機関の中でもトップ五に入ると言われていました。

ハイレベルなトレーディングチームを率いていたのが、亡命イラン人で、天才と言われていたカーベイ・アラムーティです。父親はパーレビ王朝の大臣を務めたというイランの名門ファミリー出身でした。本人はロンドン大学で理系の博士号を取得した後、アメリカのソロモンブラザーズでデリバティブの取引を始め、多くの実績を上げたのです。

彼は欧州東海銀行で七、八名の奇才をチームに集め、ユーロが発足する前の欧州各国における国債価格の歪みを捉え、大きな利益を上げていました。天才と言われていましたが、性格は柔和で激することなく、お茶目でサッカーの熱狂的なファンでもあり、私とはなぜか馬が合いました。

東海銀行 日本経済新聞全面広告（1995年10月6日付）
カーベイ・アラムーティに丸囲み

ある日、送られてきた週刊誌の紀行文を読んでいたところ、目に留まったのが、イラン北西部山岳地帯のアラムートという非常に優秀な民族が暮らしている場所について書かれた一文でした。この民族には政治的

アラムート城砦

に極めて激烈な思想を持つ人も多く、暗殺者を生み出す地域でもあると記されていました。彼の出身地と同じなので私は「お前は暗殺者集団の人間なのか」と問うと、にやりと笑って「先祖の出身地は、暗殺者集団とも言われていた。しかし、心配するな。何があっても石田は殺さない」と言いました。

彼の性格は素直で、言い争うことはなかったのですが、お金への執着は日本人の想像を超えるものでした。毎年数億～一〇億を超える年収を得ていても、経費精算の日に請求書には鉛筆一本、地下鉄の乗車券一枚の費用を書いて会社に請求してくるのです。

私たち日本人は銀行の海外勤務規程に基づき、雀の涙程度の賞与をもらうだけでした。ある日、彼に「お前は多額の賞与、報酬をもらい幸せだな」と言ったところ、急に真面目な顔になり、「そんなことはない。お前には帰るべき国がある。日本ではもしかしたら名誉をもらえるかもしれない。私たち亡命人にはそんな未来はない。お金だけが頼れる存在なんだ」と言ったのです。日本で育った私は一瞬息を呑みました。

（二〇二二年一二月六日開催分）

店頭デリバティブ取引残高

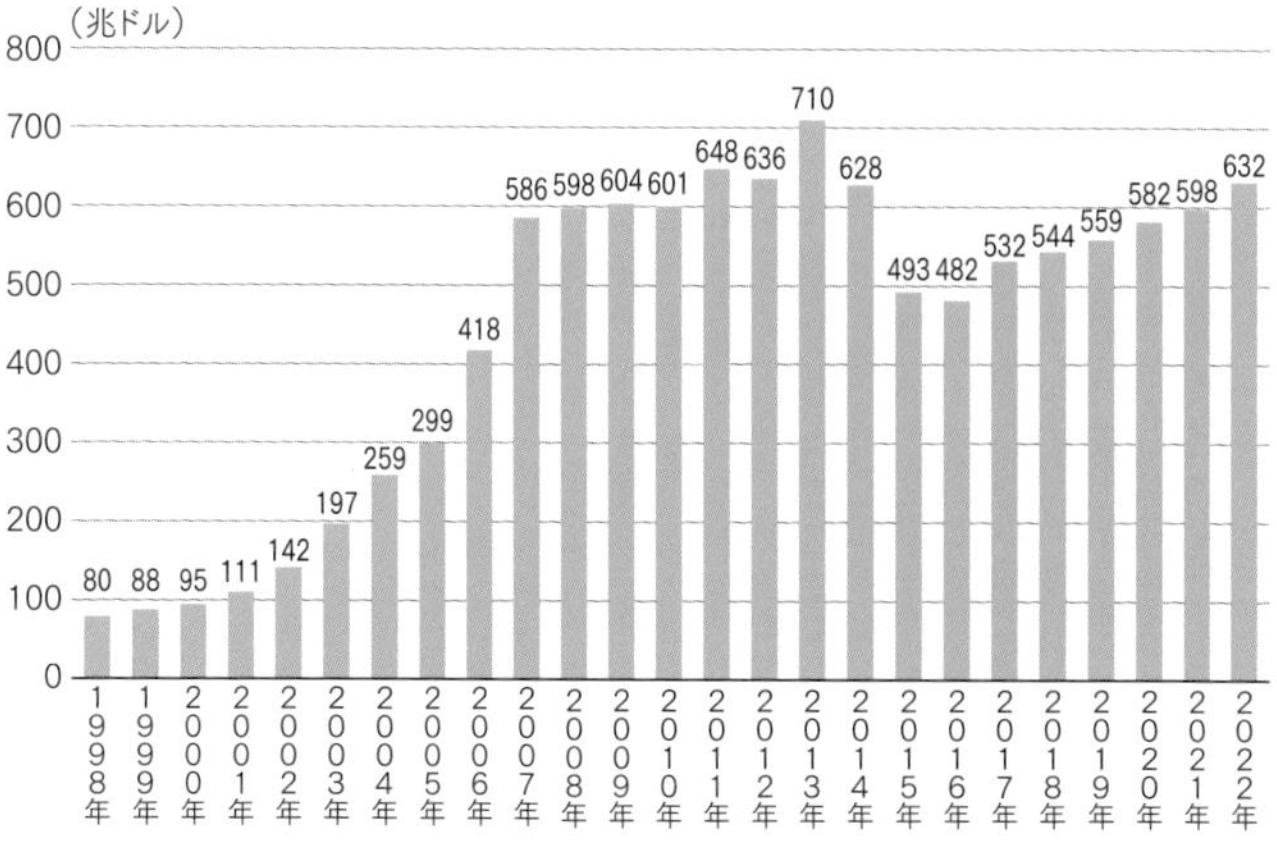

出所：BIS over-the-counter deribatives 30 Nov 2022 statistics

アラン・ハワード

前回はロンドンの天才、カーベイ・アラムーティの話をしましたが、今回は彼を上回る実績を上げた敬虔《けいけん》なユダヤ教徒、アラン・ハワードの話をしたいと思います。

アメリカの投資銀行ソロモンブラザーズで大成功を収めてシティの尊敬を集めていた彼を招聘すべく、欧州東海銀行はスカウト活動を始めました。紆余曲折はありましたが、結果的にアラン・ハワードは欧州東海銀行に移ったのです。その後の活躍はめざましく、毎期非常に大きな収益を上げていました。いつトイレに行っているのかと思うほど黒い受話器を耳から離さず、世界各国の投資銀行の仲間や各国の中央銀行の幹部などに電話をかけて情報を集めていました。前回の話に登場したカーベイ・アラムーティとアラン・ハワードを抱えた欧州東海銀行は、一九九〇年代の初め、シティの中でも最高のトレーディング利益を上げている金融機関としてその名をほしいままにしていたのです。

彼らをチームのヘッドとして雇用し、ヘッドである彼らがチームのメンバーを採用するという流れで人材が固まっていきました。私はチームメンバーの選定基準について、彼らに尋ねたことがあります。

二人（アラムーティとハワード）がともに言ったのは、まず欧米の大学院、できれば理数系の修士か博士号を持っていること。そして、アメリカの投資銀行出身であること。これらを挙げました。

東海銀行 日本経済新聞全面広告（1995年10月6日付）
アラン・ハワードに丸囲み

後者は情報ネットワークに厚みができるからという理由でした。加えて、できれば酒を飲まない人物が良いとも言いました。それは、アルコールは脳の細胞を破壊するから。石田を見ていればよくわかると笑って話していました。そして、最後に言ったのは、できれば国のない人たちが良いという言葉です。欧米人は一度成功すると緊張感を失くすとともに、金におぼれて家庭までおかしくなってしまう。亡命者、移民、難民の中の優秀な人間は、どれだけ成功しても驕《おご》りがない。彼らは帰る地がなく、命の糧である金だけを追い求める。だからこそ、そういう人材をチームメンバーにしたと語りました。祖国がない人の壮絶な覚悟を聞き、身震いしたのを覚えています。

私は、二〇〇〇年に二回目の欧州東海銀行勤務となりました。アラン・ハワードは二年間欧州東海銀行に勤務した後、スイスの大手銀行に移りました。私が二〇〇四年に帰国準備をしていたら、彼が突然やって来たのです。用件は、新しい

世界のヘッジファンドランキング（2013年）

Rank2013	Firm/Fund	Firm/fund Capital ($millions)	Year over year change(%)
1	Bridgewater Associates	83,300	9.5
2	J.P. Morgan Asset Mgmt	54,800	2.2
3	**Brevan Howard Asset Mgmt**	**40,000**	**17**
4	BlueCrest Capital Mgmt	35,300	23.4
5	Och-Ziff Capital Mgmt Group	31,900	10.8
6	Man Group	29,600	-18.9
7	Baupost Group	26,700	6
8	BlackRock	26,635	-7.4
9	Winton Capital Mgmt	25,700	-14.2
10	D.E.Shaw & Co.	23,400	20
11	Lone Pine Capital	22,000	175
12	Renaissance Technologies	22,000	10

ヘッジファンドをつくるので一緒にやらないかということでした。私は東海東京証券に移ることをほぼ決めていたので、彼の申し出を断りました。これが、私の人生最大の誤りでした（笑）。

彼のヘッジファンドは一時、世界の五本の指に入っています。そして、個人金融資産は最低二〇〇〇億円はあると聞いています。帰国前日まで私を説得していた彼の意向を受け入れていたら、今頃は巨万の富を蓄え、豪華絢爛《けんらん》な毎日を過ごしていたはずで、悔しさが募ります。

（二〇二二年一二月一三日開催分）

日本人の天才

東海銀行と三和銀行が合併してＵＦＪ銀行ができましたが、二〇〇五年に東京三菱銀行に実質吸収されてしまいました。三菱のカルチャーとして、投機的ビジネスを嫌うところがあり、実際にトレーディングビジネスで大成功をしたという経験がない銀行、それが三菱銀行だと言われていました。

そうした背景もあり、欧州東海銀行の後継会社であるＵＦＪインターナショナルは、トレーディングビジネスから撤退すべきと、三菱東京ＵＦＪ銀行は決定したのです。ただ、所属していた優秀なトレーダーを宥めるためか、ＵＦＪインターナショナルが持っていたポジションの処理を上手に行うことが目的なのか、彼ら（トレーダー）が独立してヘッジファンドを立ち上げる時には、三菱東京ＵＦＪ銀行が相当な資金（シードマネー）を提供するという話が持ち上がりました。

この誘いに勇敢に挑戦、応じたのが、中国系ヤン氏、そして日本人の浅井将雄氏でした。私が欧州東海銀行の頭取をしていた頃、日本国債ビジネスの成績が上がらないため、救世主として東海銀行から浅井氏に来てもらいました。日本でも円債取引の三大トレーダーと言われるほど実績がある人物で、欧州東海銀行においても期待通りの実績を上げていました。

アメリカのプリンストン大学で理系の博士号を取得した天才的トレーダーのヤン氏と浅井氏が、三菱東京ＵＦＪ銀行の提案に応じて新しいヘッジファンドをつくり上げたのです。名前は「キャプラ・インベストメント・マネジメント」です。浅井氏は全財産を銀行に担保として差し入れ、ファンド会社の資本金に充当したと言われています。その後、このヘッジファンドは驚異的な成績を残して、年を追うごとにビジネスが拡大していきました。彼らの顧客は中東のオイルマネー、世界の年金基金、大手の金融機関など。彼らのトレーディング戦略は他のヘッジファンドのようなハイリスクな投機的スタイルで

浅井将雄氏

はなく、極めて安定志向で、金利のデリバティブ、債券を活用して確実に収益を上げるというスタイルでした。

年間のリターンのターゲットは五〜八％前後でした。その後、彼らのファンドは業界で不敗神話が出るほど負けないファンドとしての名声を得ていき、最近は月次ベースで八〜九割という高い勝率を誇っています。世界の投資家は彼らに注目し、今では取扱資産が数兆円を超えて世界のヘッジファンドランキングでは一五位前後になっています。私たち東海東京フィナンシャルグループも出資するとともに、二〇〇億円前後の運用を依頼しています。そのリターン、パフォーマンスは極めて満足度の高い結果になっています。

浅井氏は愛知県の滝高校から慶應義塾大学に進学し、東海銀行に入行したという地元（愛知県）の人物ですが、まさに国際金融界での大成功者で巨万の富を築いていると言われています。銀行時代は私の部下であったため呼び捨てでした。現在も時々私を訪ねてくることがありますが、卑屈にも揉み手で彼を迎え、ご機嫌を取っている自分がいることに気付くことがあります。

前回、私は人生の選択で大失敗をしたという話をしましたが、大成功を勝ち取った浅井氏との分かれ目は何かと考えると、全てを擲《なげう》つ覚悟と先見力の差ではないかと考えます。

キャプラ・インベストメント・マネジメント
年間リターンと累積リターン

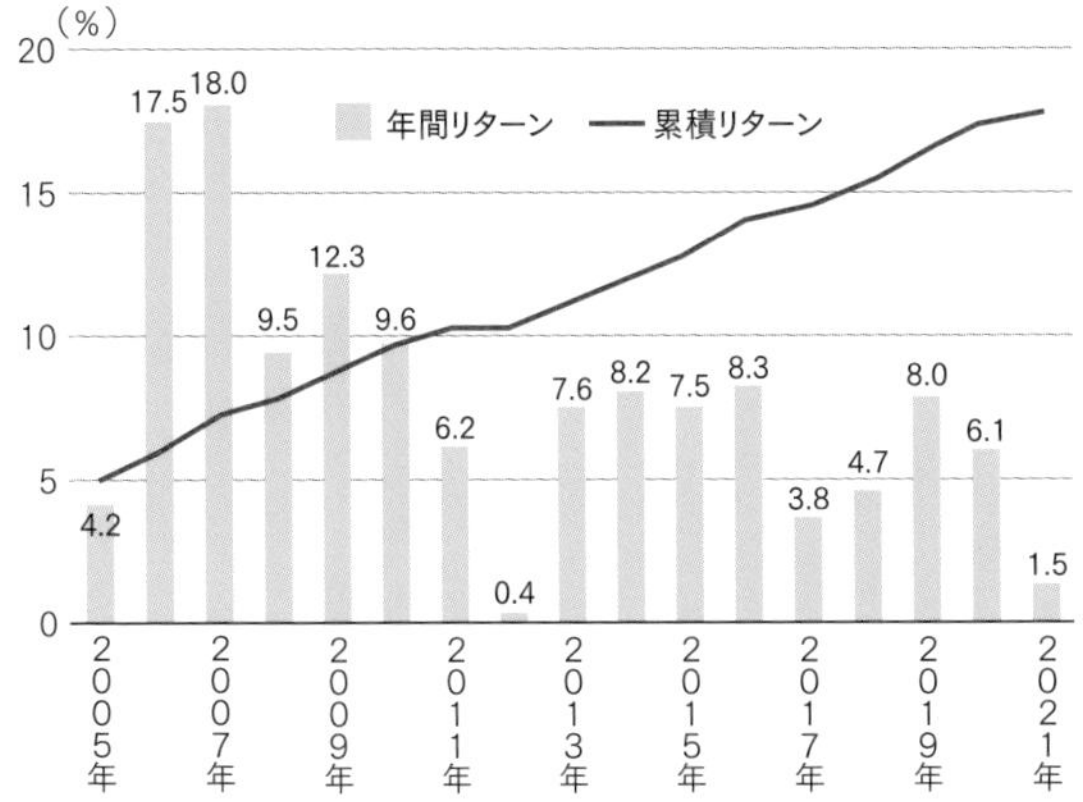

世界のヘッジファンドランキング(2021年)

10	Davidson Kempner Capital Mgmt	$37,350
11	Marshall Waee	$33,107
12	Anchorage Capital Group	$31,080
13	Baupost Group	$31,000
14	AQR Capital Mgmt	$26,100
15	**Capula Investment Mgmt**	**$23,900**
16	BlackRock	$23,090
17	Wellington Management	$22,600
18	D1 Capital Partners	$22,000
19	Point72 Asset Mgmt	$21,800
20	GoldenTree Asset Mgmt	$19,734

国際金融都市のシティで最高の日本人成功者を知人に持つことに誇りを感じているのも事実で、これからも応援したいと思います。

（二〇二二年一二月二〇日開催分）

第七章

世界の要人

元ＦＲＢ議長
ベン・バーナンキ氏

二〇〇四年六月、私はワシントンを訪問しました。この時、異様な街の雰囲気を感じ取りました。ブルードＸと言われる一七年周期で大量発生するセミが木々にびっしりと張り付き、耳をつんざくような鳴き声が響き渡っていたのです。

そうした中、訪問した世界最高の金融政策の殿堂といわれるＦＲＢの建物は、堅牢で威厳にあふれていました。私たちは厳重な検問を通り、バーナンキ理事、後に議長になる方の部屋に通されました。彼の部屋は決して大きな部屋ではないものの、上品で深いあめ色の調度品が配置され、

ベン・バーナンキ元 FRB 議長

FRB（連邦準備制度理事会）

理事室は知性の空気で満たされていました。六一歳、理事になって二年経過した時でしたが、既に恐慌論の権威、日本のバブル崩壊の研究者として名を馳せていました。

当時のアメリカは失業率の高まりと物価の停滞、そして株価の低迷に悩まされていました。また、原油価格は上昇し始め、一バレル四一ドルになるなど、景気の先行きに不安を残していた時期でした。

バーナンキ氏は誠実かつ論理的に、そして自信たっぷりに私たちに話をしてくれました。アメリカの懸念であった高い失業率、ディスインフレなどの現象は、期待通りに良い方向に向かっている。そして、原油価格の上昇も一過性で心配ない。こうした説得力のある説明に納得した私たちは、すぐに日本へインタビュー内容を報告し、米国マーケット回復のシ

アメリカ失業率と消費者物価指数推移

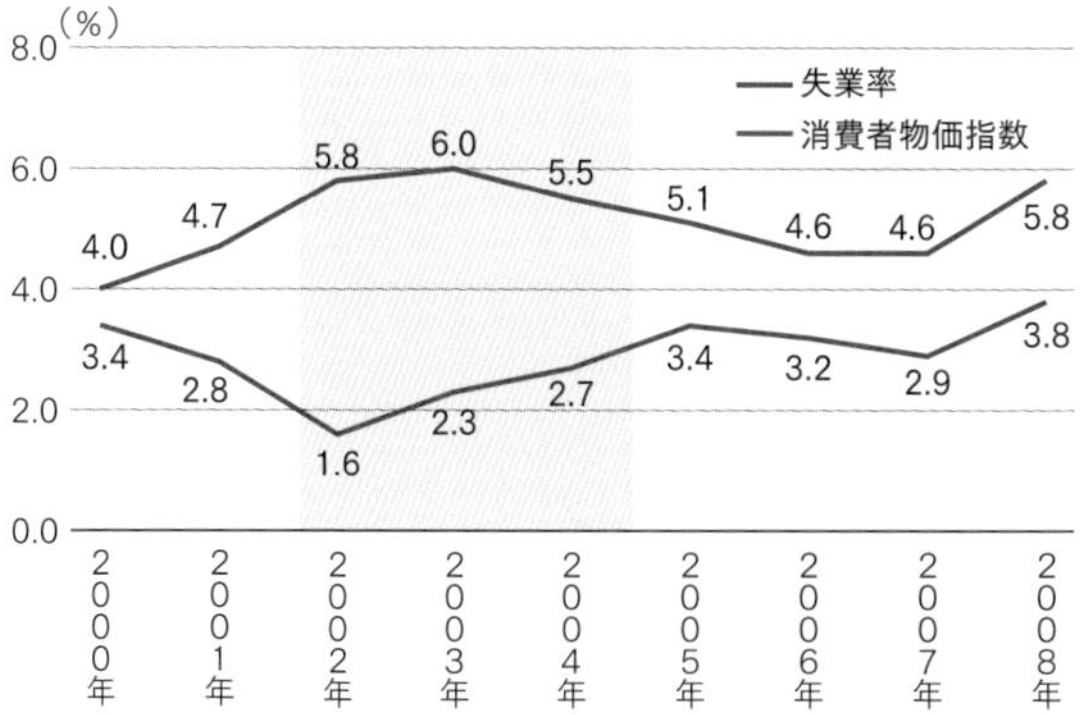

グナルというレポートを送りました。実際に株価は二〇〇四年以降、急速に回復しました。バーナンキ氏の印象は非常に知的で誠実であるものの、学者にありがちな象牙の塔に引きこもるようなひ弱さは感じられませんでした。顔いっぱいの顎ひげと穏やかな眼光は茶目っ気にあふれていました。世界をリードする金融政策の権威というより、少しアグレッシブで魅力的な実業界の人物という印象でした。

忘れられないエピソードを紹介します。インタビューした後の名刺交換の際、バーナンキ氏は慌てて机の引き出しから自分の名刺を持ってきました。FRBを出てその裏を見ると、そこには女性の名前と電話番号が書いてありました。記者なのか、それとも……。凡人はすぐ色々な妄想を浮かべてしまいます。

（二〇二三年一月一〇日開催分）

アメリカ政策金利推移

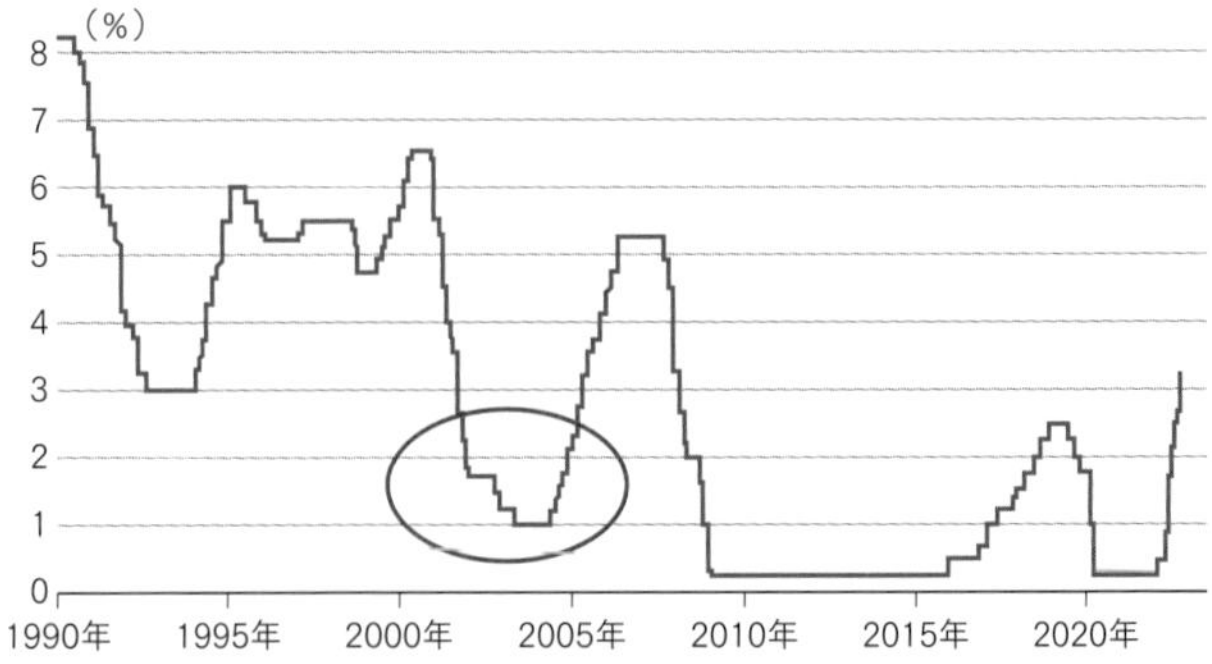

火中の栗

二〇一七年七月に『日経新聞』を読んでいたら、「おや」と思うと同時に懐かしい記事が載っていました。それはアジア通貨危機から二〇年の特集記事で、危機の発生国と言われたタイの当時の大蔵大臣、タリン・ニンマンヘイミンへのインタビュー記事でした。

タリン・ニンマンヘイミン
元タイ大蔵大臣

私の最初の海外赴任先がタイであったことはお話ししましたが、実はタリン氏とは無二の親友であったのです。彼はタイ北部のチェンマイの名家出身で、お父様も大臣でした。学歴はハーバード大学卒業と、まさに家柄と実力を兼ね備えたエリート中のエリートでした。東海銀行、バンコック銀行、シティバンク三行の合弁ファイナンスカンパニーであったＢＦ東海に出向していた際、彼はシティバンク傘下のファイナンスカンパニーの役員を務めていました。彼とは、よく食事をしたり、夜の歓楽街を歩いたりして、時間を一緒に過ごしたのを思い出します。

彼はＢＦ東海にとって命の恩人でもありました。一九七三年のオイルショックの際、バンコックマーケットは混乱し、私たちは現地通貨を調達することができなくなりました。その時、彼はシティバンクグループからタイの商業銀行であるサイアムコマーシャルバンクに転職し、二〇代の若さでＮｏ．３に就任していました。私は資金繰りが厳しくなったため、彼のもとへ資金支援のお願いに行きました。即座にＯＫを出してくれ、困ったらいつでも来いと言ってくれたのです。まさに〝地獄に仏〟とはこういうことかと思いました。私の帰国後は疎遠になっていましたが、二度にわたって大蔵大臣に就任したことは風の便りで聞いていました。

彼のインタビュー記事を見た時、急に懐かしさがこみあげてきたので、「バンコックで会おう」とメールを送ったら、すぐに「是非会いたい」という返事が届きました。一ヶ月後、バンコクのレストランに現れた時の彼の笑顔は、一生忘れられません。色々な話をした中で印象深いものをご紹介したいと思います。

アジア通貨危機の時、当時の首相から懇願されて火中の栗を拾う思いで二度目の大蔵大臣を引き受けたそうです。タイが国家危機に陥り、ワシントン筋やIMF、世界銀行などに行って資金援助をお願いしても非常に厳しい対応だった中、援助の手を差し伸べたのが日本だったそうです。当時の大蔵省の担当が現在の黒田日銀総裁で、黒田氏には本当に頭が上がらないと懐かしそうに話をしていました。日本とタイはもっと友好を深めるべきで、お互い他国にはない共通点が色々あるとも言っていました。例えば、仏教国で、国民は他人を気づかう優しさを持っている。また皇室、王室を尊敬している。そして、アジアでは日本とタイだけが一度も植民地になっていない。だから両国の国民は自分の国の文化に誇りを持っている。

彼はいつも知的で、おっとりした語り口ですが、この時の熱弁は忘れられません。その後も香港や日本で会う機会がありましたが、若い時の友情は永遠であるという思いを強く持っています。

（二〇二三年一月一七日開催分）

トリシェ氏の教訓

　私ども東海東京フィナンシャルグループには、グローバルアドバイザリーボードという組織がありました。二〇一五年に元財務官の内海孚《まこと》氏を議長に、世界の金融界の賢人といわれる方たちをメンバーとして年に一回集まって頂き、会議を開催していました。その目的は、世界の金融情勢を読み解きながら議論し、私どもの行動指針の参考にすることでした。

　メンバーはＥＣＢ（欧州中央銀行）元総裁のジャン＝クロード・トリシェ氏、米州開発銀行元総裁のイグレシアス氏、アメリカの元財務副長官キミット氏、インドの財務委員会委員長のＮ・Ｋ・シン氏、そして香港の東亜銀行の李会長でした。英国のＥＵ離脱、トランプ政権下の米国経済・対外政策の変化、日本の地政学諸問題など、年度ごとにテーマを決めて皆さんのご意見を伺いました。テーマ以外にも私たちが知り得ない裏情報なども飛

トリシェ元ECB総裁

び出しました。当時、私たちには認識がなかった中南米での中国の過酷なまでの債務の罠や、言語、習慣、地方政府の独自性が強いインド経済を統治することの難しさ、トランプ政権の闇の部分、世界の大物政治家のプライベートな話なども知ることができました。当時、まだ無名だった現フランス大統領のマクロン氏の話も出て、トリシェ氏は将来必ず大統領になると明言し、私たちを驚かせました。

第１回グローバルアドバイザリーボード

　議論の中心にいたのがトリシェ氏でした。彼は世界の中央銀行の中心的存在で、まさに世界の知性の持ち主、リーマン危機やユーロ圏の債務危機を乗り切った金融行政の魔術師とも言われた人物でした。性格は非常に人懐っこく、他人への接し方にも心の優しさが表れ、尊敬される所以だと感じました。彼のプレゼンテーションスタイルは身体を大きく震わせ、高い声で話す情熱あふれるスタイルで、聴衆を惹きつけてやみませんでした。また、日本の自然や文化を愛し、訪日した際は必ず田舎を旅することを習慣にしていました。

山形の赤湯温泉にて

二〇一五年から始まったこのグローバルアドバイザリーボードも参加者が八〇歳を超えたこともあり、昨年四月の会議をもって区切りを付けることにしました。この時は会議もさることながら、日本の美しい桜を堪能してもらおうと、山形県の赤湯温泉にあるしだれ桜を楽しむ観光をアレンジし、トリシェ夫妻をはじめ、参加者全員に喜んでもらったことを思い出します。

一方、トリシェ氏は理系学部の出身のせいか、新しい技術への好奇心が強い方でした。アップルウォッチが発売された年には、既に彼の腕にはそれがはめられていました。皆さんからは、「その黒いリンゴは美味しいのか」などとなじられていましたが、そんな時でもニコニコして「科学は進化なり」と応えていました。

トリシェ氏は、二〇一四年九月の『日経新聞』に「私の履歴書」を連載しています。その中で、若者への伝言を述べています。「全く予期しない驚くべき変化が起きるだろう。

それに常に備えよう。情報技術、人工知能は急激に進化する。この早い変化を予測しないといけない。また、変化によって起きた衝撃の復元力を強め、進化に対する柔軟性、あるいは変化を好機に変える創造性と素早い対応が必要になる」。本当に好奇心旺盛なトリシェ氏を、私は愛して止みません。

（二〇二三年一月二四日開催分）

エドワード・ジョージ氏

世界の要人、最後は「バンク・オブ・イングランド（イギリス中央銀行）」の総裁であったエドワード・ジョージ氏をご紹介したいと思います。

九〇年代の欧州東海銀行はデリバティブの取引を主体にトレーディングビジネスを行い、高い収益力を誇っていました。しかし、取引ボリュームが大きくなるにつれて、取引相手の銀行が東海銀行の信用格付を問題にし始めました。当時の東海銀行の格付は、AAAやAAといった優秀なものではなく、その次のレベルのAでした。通常の取引であれば問題ないのですが、欧州東海銀行はその東海銀行の子会社であるため、取引ボリュームが大きくなってくると格付を心配し、これ以上の取引はできないという通告が外銀からどんどん出てきました。

困った私たちは、解決策としてデリバティブの専門会社「東海デリバティブプロダクツ」を設立したのです。当時のコンピューターシステムを駆使し、新会社の保有資産がいかに安定し、優良であるかを証明して、世界の格付会社から日本で初めてＡＡＡという最高格付を得たのです。

このＡＡＡの会社では、社外役員として元財務官の内海氏に就任して頂きました。取締役会出席のため、内海氏がロンドンまで来られ、旧知のジョージ総裁を訪問することになり、私も同行させて頂きました。総裁は私たちを歓迎してくださると同時に、ＡＡＡの話をすると「それはすごい、傑作だ」とお褒めの言葉をくださったのです。しかし、最後に冗談めいて、「内海さんは勇気がある。よくデリバティブのようにハイリスクで複雑なものを取り扱う会社の役員になったね。それは大きなリスクではないのか」と言われ、みんなで大笑いをしながらその場を去ったのを覚えています。

それ以降、私は三回ほど総裁に呼ばれて出かけました。総裁の話題は、いつも国際金融都市シティの将来についてでした。尋ねられたのは、シティは大陸との競争に打ち勝つことができるのか、世界最大の金融セ

エドワード・ジョージ
元イギリス中央銀行総裁

ンターであるシティがその役割を今後も維持できるだろうかということでした。

　この話の背景には、イギリスの国力低下がありました。ポンド危機が発生した時、欧州為替相場メカニズムからイギリスは危機対応のために脱退していました。欧州大陸各国とイギリスの対立が激しくなり、欧州各国は自国内に国際金融センターをつくる、そういう動きが盛んになってきていたのです。質問された私は、「国際金融市場の大半は英語圏だ。シティの歴史に培われた会計・財務・法務のビジネスインフラに、大陸はとても及ばない。だから今は心配無用である」という意見をお話ししました。

　今でも為替や債券などは、大陸よりシティの方が圧倒的に有利です。しかし、株式の取り扱い高

欧州取引所の年間売買高推移

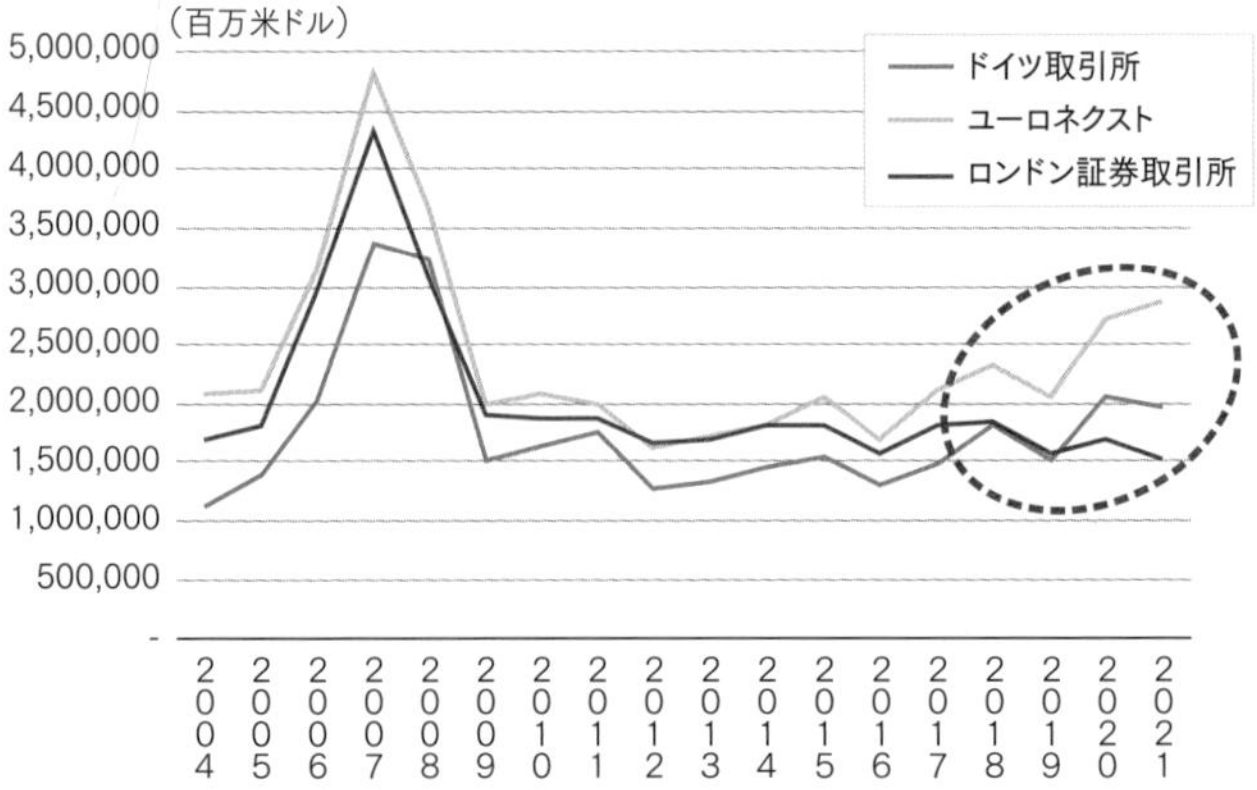

今月末めど営業開始

デリバティブ専門
東海銀の英子会社

リスクモデルで先行

【ロンドン＝藤森克己】東海銀行がロンドンに設立したデリバティブ（金融派生商品）専門の子会社、東海デリバティブ・プロダクツ（TDP）は今月末をめどに営業を開始する。米格付け機関からトリプルAの格付けを取得しており、今後取引の相手となる金融機関などに信用枠の設定を要請していく。TDPはトリプルAの格付けを取得するために高度なリスク管理モデルを開発しており、追随を検討している邦銀勢なども独自のモデル開発を迫られそうだ。

TDPは東海銀行の欧州現地法人、東海キャピタル・マーケッツ、欧州東海銀行が一億ポンド（一ポンド＝約一五五円）を出資し、これまで東海キャピタル・マーケッツが取引してきたデリバティブ取引のうち、ダブルAマイナス以上の取引相手との取引を担当する。東海キャピタル・マーケッツは東海銀行の格付け（シングルAマイナス）が適用されるため、信用力を重視する国際機関や高格付けの金融機関などとは取引が出来なかった。

TDPがトリプルAを取得できたのには資本の厚みや、法的、構造的な保護措置の導入などの対応がある。そのなかでも「モンテカルロシミュレーション」と呼ばれるリスクモデルの構築が評価された。これは取引相手の債務不履行の確率や市場価格の変動などを織り込んだモデルで、最大のリスクに対し十分な自己資本があるかどうかをはじき出す。この算出にあたって「信頼係数は非常に高い値が使われている」（スタンダード・アンド・プアーズ）という。

邦銀は不良債権問題などで格付けが低下してきており、デリバティブ取引では不利な状況に追い込まれている。このため東海以外でもトリプルAの専門会社設立を検討しているが、高度なリスク管理のモデル構築にはかなりの時間がかかる。東海の場合は東海キャピタル・マーケッツなどですでにモデル構築を進めてきたため、開発が有利に出来た。専門会社設立を目指すほかの邦銀にとっては格付け低下とモデル開発の時間との競争となりそうだ。

『日経金融新聞』の抜粋（1995年1月17日付）

では、大陸の取引所の方がロンドンよりはるかに多くなってきました。総裁の懸念が当たってきたということになります。

それにしても、今でも知的で優しく品格あふれるジョージ氏の笑顔が忘れられません。残念ながら、ジョージ氏は二〇〇三年に総裁を退任した後、七〇歳の若さで亡くなりました。

シティの番人、あるいは国際金融史上最高の知性の持ち主と言われたジョージ氏との思い出は、私の宝物になっています。

（二〇二三年一月三一日開催分）

第八章
タイの思い出

微笑みの国タイ

私は一九七二年にタイに赴任しました。先にも触れましたが、バンコック銀行、アメリカのシティバンク、そして東海銀行が三分の一ずつ出資し、日系企業への融資をメインビジネスとするファイナンスカンパニーをつくりました。この合弁会社の社長はシティバンク系ファイナンスカンパニーの社長であるアメリカ人が兼務していました。しかし、実質的には私の上司と私が経営管理、融資を担当し、内部管理はローカル社員が担い、合計一〇名ほどの体制で会社をスタートさせたのです。タイはダイバーシティが当時から進んでおり、内部管理のトップはタイの名門大学出身の二〇代後半の女性でした。

社内は家族経営的な空気で、勤務した四年間に一度も腹を立てたり、嫌な目に遭ったり、いじめを目撃したりしたことはありませんでした。一人の退職者もなく、みんながそれぞれを思いやり、まさに仏教の国のビジネスロールモデルのような素敵な空気の中で仕事を

タイ・バンコクの観光地（ワット・プラ・ケオ）

しました。みんな向上心が強く、高卒の女性は夜間大学に通っていましたが、驚くのはその教科書です。タイは日本のように翻訳文化が根付いていないためなのか、経済学、統計学、数学など全て欧米の英語の教科書を使っていたのです。タイ人の英語力は日本人より数段上で、私は劣等感を感じながら過ごしていたことを思い出します。

タイのもう一つの思い出は、週末の嬉しさ、楽しさでした。その頃、アメリカの雑誌『ニューズウィーク』が、享楽の国タイランドという特集を組みました。当時から観光はタイの一大産業で、日本はもちろんロシア、ドイツなどヨーロッパからも多くの観光客が訪れていました。昼はお寺巡り、夜はタイ料理を堪能し、その後ナイトクラブで歌やダンスに興じるというのが一般的な観光客のコース。私たち駐在員も観光客に負けじと四、五人で徒党を組み、当時の歓楽街に繰り出し、我が物顔で夜遅くまで騒いでいたのを思い出します。

そういう時、有名なナイトクラブ「ブルーシャトー」で日本人駐在員がタイ人ホステスに射殺されるという事件が起こりました。その事件が発生して間もなく、日本大使館から駐在員に行動自粛の通達が出ました。私たちも大いに反省し、それ以降は徒党を組んで派手な行動をすることを慎むようになったのです。

当時のタイへの投資額を見ると、日本はアメリカに次いで第二位でした。現在も何とかこの位置を保っていますが、中国の投資額がすさまじい勢いで増え、日本とほぼ同額になっています。まさに中国の東南アジアでの影響力が強くなっているのを実感します。

（二〇二三年二月八日開催分）

賭博禁止のタイ

タイの週末の楽しみは、繁華街に繰り出すことだけではありませんでした。法律的に、タイでは賭博が禁止されています。シンガポールのように合法的なカジノはなく、麻雀すら禁止です。しかし、何ごとにも抜け道はあります。所轄の警察署から許可証をもらえば、麻雀を楽しむことができるのです。

日本人が経営する雀荘がタイにもいくつかありましたが、その経営者は毎日警察署に行って許可証をもらい、卓に許可証を貼って営業を続けていました。ただ、雀荘の経営者は払うべき額をケチって、卓の数より少ない許可証でお客を集めていました。タイは密告社会で、このことに目を付けたローカルの雀荘従業員が警察に連絡しました。すると、たまたま許可証のない卓で麻雀をしていた日本人が警察のガサ入れで逮捕され、牢屋に入れられるという事件もよく起きていました。

タイ・バンコクの観光地（パッポン通り）

また、許可証は一日限りのものであり、有効時間は深夜一二時までです。しかし、麻雀をやり続けて一二時を回ることは度々あります。そんなある日、私が午前一時頃まで麻雀を楽しみ、雀荘を出たその時、警察のガサ入れが行われて大手商社の駐在員が逮捕されました。私はガサ入れの直前に雀荘を出たので、危うく難を逃れることができました。

賭博に関しては日本でも大きく報道され、日タイ間の国家間の問題になったケースもあります。それは麻雀ではなく非合法の賭博場での事件でした。バンコクには数軒、ルーレットなどを置いた非合法の賭博場があります。事件はここで起きました。日本の大手保険会社の駐在員が帰国するため開いた、お別れ会での出来事です。二次会で保険会社の一〇名程度が賭博場に行きました。その時ガサ入れが行われ、彼ら全員が捕まって大きなニュースになりました。

私はここでも幸運の神に助けられました。保険会社の社員が逮捕されたのは日曜日ですが、私はその前日に賭博場に行っていました。土曜日に一緒に行った友人は、日曜日も訪れていたため逮捕されたのです。現地新聞に顔写真付きで掲載され、彼は日本に強制送還されました。私は反省し、これ以降、雀荘にも賭博場にも出入りしないと決めたのです。

タイの駐在員の数は、私がいた頃と比べて相当増えていますが、日本人のマナーは非常に良くなったと聞いています。世間を揺るがすような事件は起きていません。「旅の恥はかき捨て」と言いますが、そういう行動は是非戒める必要があり、私自身も反省しています。

（二〇二三年二月二一日開催分）

タイのクーデター

一九七三年一〇月のある土曜日、バンコクに単身赴任していた私は日本料理店で食事をしていました。すると、店の主人が「早く帰宅してください。戒厳令が出て、国民全員が夜間外出禁止となりました」と慌てて言ってきました。道路を見ると人通りが少なく、荷台に少なからぬ学生が乗ったトラックが通るだけでした。慌ててマンションに帰り、最悪の事態に備え、身支度をしてホテルへ避難しました。

ホテルから大通りを見ると、多くのトラックが行き来していました。学生と思われる若者が群がるように乗り込み、荷台では火を焚いて大声で叫んでいました。その声はまるで勝どきのようでした。これがタイ王国初めての学生による流血クーデター「血の日曜日事件」でした。

当時の首相、タノーム・キッティカチョーンは軍人出身で、独裁政治を敷いていました。

これに対して学生は、民主化の要求と同時に仲間の政治犯一三人の釈放を求め、大きなデモをしていました。このデモは、国民の尊敬するラーマ九世国王の調停により、政府が政治犯の釈放と公式な選挙を約束したことで一旦収束しました。しかし、一部の学生が王宮へのデモを再び開始したことで警察が動き、武装警官と衝突し、発砲により八〇人程度の犠牲者が出たのです。国王は直ちにタノーム首相の辞職を承認し、首相は国外退去を余儀なくされました。まさに学生の勝利となったのです。

私は眠れない夜をホテルで過ごし、月曜日に会社の車で事務所に出社しました。上司が日本に出張中だったため、私が会社の采配を振るわざるを得ない状況でした。騒動は収まったのですが、オフィスの窓から聞こえるのは銃声でした。そのため事務所を閉め、社員を全員帰宅させ、私はホテルに帰ることにしました。学生たちが、日本企業による搾取反対と書いたプラカードを掲げていたこともあって、無事ホテルに着けるかどうか気が気ではありません。帰宅途中、二度ほど学生による検問に引っかかりました。学生は運転手に質問しながら訝《いぶか》しげに車内を見渡しました。

タノーム・キッティカチョーン
元タイ首相

その時は本当に恐怖と不安を感じ、冷や汗が流れるのを実感しました。

このクーデターの一年後の一九七四年に民主憲法が施行され、新しい首相が選出されました。しかし、タイはこれ以降、色々な政治改革が行われましたが、軍によるクーデターも何度かありました。現在の首相も二〇一四年の軍事クーデターの際のリーダーでした。ただタイの社会情勢は今は比較的安定しています。

タイはインドネシアには及びませんが、高い市場成長率を誇り、東南アジア最大の自動車生産輸出国になりました。中国からの投資額も急増しています。それでも日本にとってタイは重要な投資対象国であり友好国です。

ASEAN主要国のGDP推移

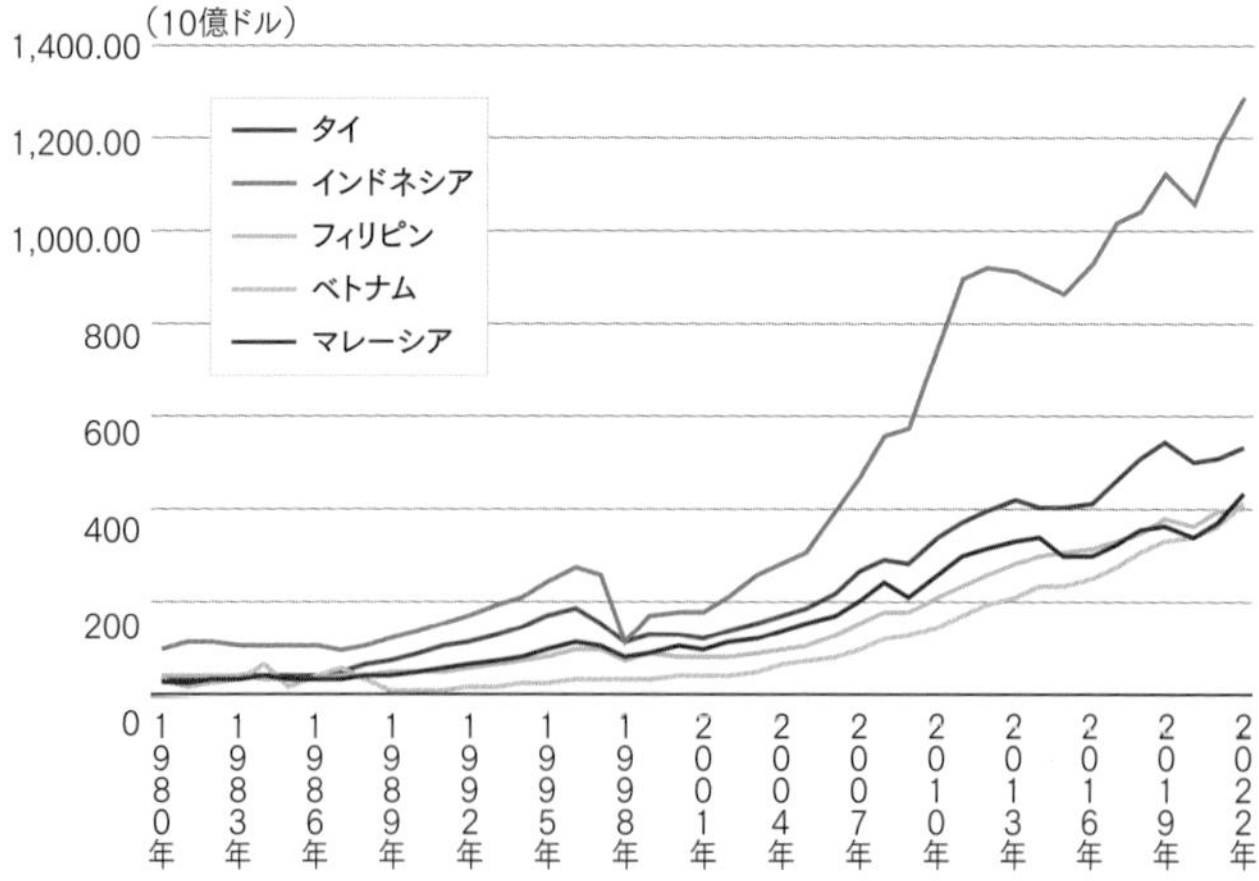

これからも日本は今まで通り投資を積極的に行うと同時に、若者同士の交流なども活発化させ、親交国タイと日本の絆をより強いものにする必要があると考えています。

（二〇二三年二月二八日開催分）

第九章
恐ろしい米国

カリフォルニアの教訓

先に、加州東海銀行が、ボルカーFRB議長の高金利政策によって不動産バブルがはじけ、その荒波を受け不良債権の山をつくり、経営危機に陥った話をしました。その際、加州東海銀行は東海銀行から数十億円の増資を受け、何とか窮地を脱しました。その後も加州東海銀行の苦難は続き、最終的には数百億円の不良債権を発生させ、子会社を解体するという悲劇も経験しました。本日は、その間に起きた社員の横領事件についてお話しします。

ある日、融資担当の日本人派遣社員が何気なく融資者一覧を眺めていたところ、聞いたことがない借入人が記載されていることに気付きました。これが事件発覚の端緒でした。相当数の架空融資が見つかり、調べていくと犯人が特定されました。なんと融資事務担当のローカル社員で、非常に仕事熱心で温厚な人柄として知られ、月間最優秀社員にも幾度

加州東海銀行 外観（左）、
行内の風景（上）

か選ばれた人物でした。行内は大騒ぎになり、警察に届け出ました。被害総額は当時の日本円換算で五億円ほど。事の重大さから、捜査は地域警察からＦＢＩ（米国連邦捜査局）へ移りました。

ある日、ＦＢＩ捜査官二人が事情聴取に訪れました。屈強で眼光鋭い捜査官からは、融資の流れ、管理体制、被害状況などを非常に細かく聴取されました。既にどこかで調べたのか、犯人は拳銃を所持しており、危険人物だから近付いてはならないと言いました。もしかしたら前科者だったのかもしれないと思いました。

それから一、二ヶ月後、ＦＢＩから連絡がありました。「犯人を香港で逮捕した」。それを聞いて私たちはホッとしたのです。また、もう一つの理由でも胸をなで下ろしました。その横領された金の処置です。加州東海銀行にとっては、それなりのダメージを受ける金額でした。しかし、アメリカのバンカーズ・ブランケット・ボンドという銀行が被《こうむ》る全ての事故被害をカバーする保険に入っていて、ほぼ全額が戻ってくることになったのです。

FBI（米国連邦捜査局）

犯人は週末によく出社して、非常に仕事熱心という評価を得ていました。この世の中、良い人、熱心な人、他人に優しい人、特に週末に出てきて仕事をする人は、要注意ではないかという教訓を得た事件でした。現地会社の管理は現地人任せになり、管理が甘くなる傾向があります。管理の厳格化をどうするか、海外進出する日本企業に課せられた大きなテーマであることを実感した事件でもありました。

（二〇二三年三月七日開催分）

カリフォルニアの教訓②

今アメリカでは銀行破綻が話題になっていますが、不良債権の山で苦境に陥った加州東海銀行の話を先にしました。親銀行から何とか数十億円の増資を受けて一命を取り留めたのですが、加州東海銀行の苦難はその後も続きました。その苦難の後、さらなる地獄が待っていたのです。

苦境を乗り切るための増資を受ける時の本社の条件は、今後一切不動産関連の融資をしないことでした。しかし、加州東海銀行の融資の五〇%は不動産関連で、日本の小さな銀行が不動産融資に代わる融資案件を現地で見つけるのは難しい状況でした。そんな時、現地幹部が一人のアメリカ人を連れてきて、是非採用したいと言ってきたのです。そのアメリカ人は自動車融資のプロで、業界では名の通った人物であるとのこと。私たちはすぐに彼の構想に飛びつきました。

加州東海銀行 外観

構想というのは、カリフォルニアの自動車ディーラーより自動車ローンの紹介を受け、オートローンのビジネスをスタートすることでした。私たちは体制を整え、社員も新たに採用して自動車ローンを始めました。当時のアメリカマーケットはボルカーショックによって極めて不安定でしたが、その状況を考慮しないまま新しいビジネスが動き出したのです。

最初は順調に自動車ローンを積み上げて業績も右肩上がりだったため、採用したアメリカ人を褒め称えました。自動車ローン専門の子会社をつくり、経営も現地任せにしました。子会社をつくってから一年ほどは業績が順調に推移しました。業績連動型の賞与であったため、現地のアメリカ人幹部はこの世の春を謳歌《おうか》し、さらに融資を積み上げました。しかし、この状態は長続きせず、一年を過ぎた頃から自動車ローンの延滞が増え始めたのです。

カリフォルニアの住民にとって、自動車はライフラインです。借入人はいかなる督促にも応じないばかりか、弁護士を立てて貸し手責任訴訟を銀行に仕かけてきました。「銀行は十分な審査もせずにローンを無理矢理実行した。その挙げ句、返済を迫り、自動車の没収を図ろうとしている。これは借入人の怠慢ではなく、銀行の無謀な融資が原因である」という主張です。彼らの弁護士は、同じ滞納者から賛同を集め、数百名規模での集団訴訟を加州東海銀行の子会社に仕かけてきたのです。

当時、私は日本に帰国していましたが、この訴訟報告を受けて気が気ではありません。訴訟行動は次第に激しくなり、デモ隊が子会社の入居するビルを取り囲み始めたのです。裁判も、弱者の味方で会社の立場は極めて不利。結局、和解案を出して訴訟問題に終止符を打つと同時に、自動車ローンビジネスを全てやめ、子会社も解散しました。

行内仕事風景

日本の東海銀行本社での国際部批判、加州東海銀行批判はすさまじい勢いで盛り上がりました。日本の銀行はバブルの最中で、花見酒の宴にうつつを抜かしていた頃。加州東海銀行の処理にかかった費用は数百億円にのぼりました。貸し手責任の存在、集団訴訟の恐怖などアメリカ社会のすさまじさを経験することになりました。

残念なのは、この時の教訓が生かされることなく、この後、日本の銀行はバブル崩壊によってまさに地獄の苦しみのごとき阿《あ》鼻叫喚《びきょうかん》を経験したのです。

（二〇二三年三月一四日開催分）

アメリカの恐怖

加州東海銀行の破綻に近い状態については、先にお話ししましたが、ロンドンの欧州東海銀行でもアメリカに関連した事件が起きました。

欧州東海銀行はデリバティブ専門の金融機関として名を馳せていました。当初はロンドンを中心とするヨーロッパ市場で頑張ろうとしていましたが、潜在マーケットが大きいアメリカに進出しようということになり、外資の金融機関から移ってきたユダヤ系の社員をヘッドに、ニューヨークに現地法人をつくりました。

欧州東海銀行が入居するトライトン・コート（1992年11月）

　そのヘッドが、アメリカの市場開拓には東海銀行グループのサポートを是非お願いしたいと

当時の欧州東海銀行の様子（上）、トレーディングルーム（下）

懇願してきました。私は「もちろんだ。東海銀行のアメリカの拠点は全面的に協力する」と約束しました。しかし、結果は散々で、アメリカの現地法人は業績不振に陥り、数年後に解散することになりました。それから恐怖が始まりました。ヘッドのユダヤ人は、東海銀行と私個人を契約不履行で訴えてきたのです。訴訟金額は、懲罰的損害補償を入れて各々二〇億円相当という多額なものでした。

早速弁護士を入れて対策チームを組んで対応策を練りましたが、極めて不利な状況。私への訴訟については、私個人で対応せざるを得ないというのが銀行の見解でした。銀行のあまりの冷たさに天を仰ぎました。当然そんな巨額な資産はなく、保険も入っていません。支払えない時はどうなるのかと弁護士に尋ねたところ、牢屋に入るだけと悪魔のような言葉を投げかけてきたのです。

これで人生も終わりかと思っていたところ、天使が舞い降りてきたかのように事態が変わりました。訴訟をした本人が急に訴訟を取り下げてきたのです。理由は全くわかりませんが、弁護士によるとユダヤ人の個人的理由とのことでした。一説によると、ユダヤ人の奥さんがフィリピンの有力財閥の出身で、こんなことで訴訟を起こすのはアジアの恥だと言って質したとも言われています。また、スネに傷を持つ本人が、裁判中にこの傷が暴かれることを嫌がったとも言われています。真相はわかりませんが、九死に一生を得ました。

　これ以外にも様々な訴訟に巻き込まれ、敗訴したこともあります。こうした中で知ったのは、日本人は日常の行動のメモを取りませんが、外国人は克明に日記をつけているということです。裁判の時は、双方とも日記を含めて全ての資料を提出させられます。証拠品としては詳細な記録を残している（たとえ、嘘の記録でも？）外国人の方が有利になります。自分のことは自分で守るという教訓を忘れず、どんなに親しい欧米人でも安請け合いはしない。また、依頼、協議はしっかりノートに残す。そして最後にその日の出来事を日記に記載する。こうしたことをしっかりすべきと学んだ次第です。

（二〇二三年三月二八日開催分）

第十章
世界のゴルフ場

タイのゴルフ場

私は熱狂的なゴルフ好きで、初めてゴルフクラブを手にしたのは、ロンドン研修時の一九七一年でした。三本のアイアンを購入し、ロンドンのショートホールのコースでプレーしたことを思い出します。一四本のクラブを揃えて本格的に始めたのは、一九七二年にバンコクに赴任した時です。それから数えると、もう五〇年のプレー歴になります。

最初は現地のプロに教えてもらいましたが、そのプロはただ「俺の打つのを見ろ」と言うだけで、何の指導もしません。私が打つと「良くない」と言うのみでした。最初が肝心と言いますが、これがゴルフの上達しない理由だと思っています。

週末は、猛暑であろうがスコールであろうがゴルフに出かけ、妻にはよく〝ゴルフウィドー〟は嫌ですとクレームされたものです。四〇℃を超える暑い日は、日が昇る前の薄暗い時間からスタートしました。当時のタイは今ほどゴルフ場が多くありませんでしたが、よく行ったのは車で二〇～三〇分のナワタニゴルフクラブ。銀行財閥が一九七三年につくった非常に美しいゴルフ場で、一九七五年にはワールドカップのチーム戦が行われ、ジョニー・ミラーの組が優勝したことを覚えています。このゴルフ場では、林のラフで毒蛇と出会ったこともあります。

ナワタニゴルフクラブ

他には、バンコク市内から車で一時間半ほどのリゾート、パタヤの近くのサイアムカントリークラブにもよく行きました。ここは日本人が設計した名門ゴルフ場で、当時は一八ホールのみでしたが、現在は七二ホールを有するタイを代表するリゾートコースになっています。ＬＰＧＡの大会も行われ、二〇一〇年には宮里藍選手が優勝したコースとして知られています。

当時はプレーヤー一人に二人のキャディがつきました。一人はバッグを担ぎ、もう一人はフォアキャ

サイアムカントリークラブパタヤ

ディです。これはボールを探すのが役割ですが、時にはラフに入ったはずのボールがフェアウェイに出ていることもありました。プレーヤー、キャディはお互い知らないふりをしてプレーを継続、良いスコアが出ることもしばしばでした。

　また、タイのゴルフコースは池が多いのですが、池の周りには五、六歳くらいの子どもたちがいて、ティーグランドにいるプレーヤーの素振りを観察しています。彼らは素振りからプレーヤーの実力を判断し、プアプレーヤーだと判断したら打つ前に池に入り、ボールが池に入るのを待っていました。ボールを拾ってチップをもらうという算段。彼らが池に入るとますます心が乱れ、思惑通りボールは池に入ってしまいます。

　当時、タイのプレー代は日本円で一〇〇〇円程度。しかし、現在はナワタニで休日にプレーをすると二万円ほどになります。日本とほぼ同じ、会員権も同様です。タイの一般的な会社の部長の年収は、日本の部長を上回ると言われています。ゴルフのプレー代、会員権の価格を見ると、安い日本の実態が見えてくるのです。

（二〇二三年四月四日開催分）

ジョニー・ミラー

タイの消費者物価指数の推移（1980～2016年）

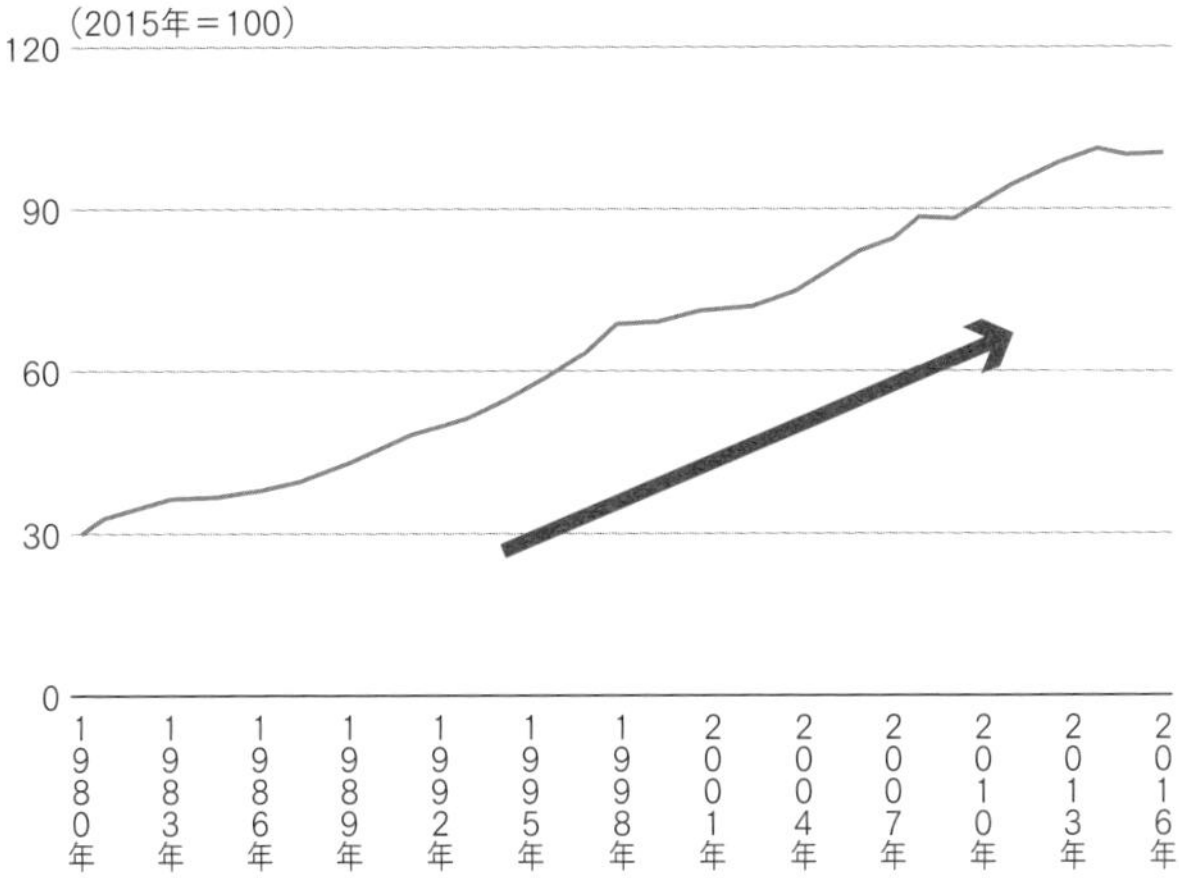

アメリカのゴルフ場

私は約七年間ロサンゼルス勤務をしていましたが、週末はゴルフ三昧の生活でした。ロサンゼルス市内随一の名門クラブがリビエラカントリークラブです。広大な森林公園に隣接し、今でもロサンゼルスオープンやＰＧＡのトーナメントが行われます。赤い屋根と白い壁のコントラストが美しいスペイン風のクラブハウスで、来たる二〇二八年のロサンゼルスオリンピックのゴルフは、ここで開催されます。

ここで有名なのが四番のパー３のショートホールです。グリーンの真ん中にバンカーがあり、綺麗なショットでオンをしたと思いきや、バンカーに入ってしまいます。バンカーを挟んで反対側のグリーンにボールが止まった時は、パターでどのように打ったらいいのかわからなくなるなど、悩みが多いホールです。

リビエラ以外で、カリフォルニアで最も印象的なゴルフ場はペブルビーチゴルフリンク

リビエラカントリークラブ

スだと思います。サンフランシスコから車で約一時間のモントレー半島に位置するこのゴルフ場は、同じ半島のザ・リンクスアットスパニッシュベイ、そしてスパイグラスヒルとともに、世界で最も美しいゴルフ場一〇〇選に選ばれています。

特に一八番のロングホールは、世界美の極致一八ホールの一つに選ばれていると同時に、七番のショートホールは世界一〇〇選ホールの一つとなっています。ペブルビーチで四回プレーしましたが、荒々しい太平洋沿岸のため天候不順の土地柄。四回のうち二回は風雨の中でのつらいプレーだったことを覚えています。

世界最高峰のゴルフ場といえば、マスターズのオーガスタナショナルです。今年はスペイン出身のジョン・ラームが優勝しましたが、私は昨年、この夢の舞台を見てきました。ゴルフ場全体が白と緑の上品なコ

ペブルビーチゴルフリンクス

ントラストで彩られ、雑草が生い茂るラフもなく、コースは深い緑の絨毯が敷き詰められ、静謐《せいひつ》な空気に包まれた、この世のものとは思えない素晴らしいコース。しかし、プレーヤーは想像以上に激しい起伏、巧妙に配置された池、アンジュレーションが厳しいグリーンに悩まされます。タイガー・ウッズ、マキロイ、シェフラー、松山といった世界最高峰のプレーヤーが名誉をかけて一打一打に集中するシーンに、パトロンと呼ばれる観客は熱狂し、ゴルフ場は興奮のるつぼと化すのです。

　オーガスタは年に六ヶ月しかオープンしません。休み中に全ての芝を張り替えます。毎年完璧な状態でマスターズの開催に備える、世界一贅沢なゴルフ場です。世界の至宝といわれるオーガスタナショナルでのマスターズ観戦は、一生忘れられない思い出になりました。

オーガスタナショナルゴルフクラブ

リビエラカントリー、ペブルビーチはバブル期に日本の企業が買収し、その価格は前者が二五〇億円、後者は一二〇〇億円でした。リビエラはまだ日本企業がオーナーですが、ペブルビーチはバブル崩壊とともに売却されました。次にお話しするスコットランドにも日本企業が買収したゴルフ場がありましたが、全て売却されています。

日本企業、日本人が持っている世界のゴルフ場は一時二六〇以上あったようです。しかし、今は約三〇で、有名なのはリビエラともう一つ程度ではないかと言われています。まさにつわものどもが夢の跡です。

（二〇二三年四月一一日開催分）

ヨーロッパのゴルフ場

私の二回にわたるロンドン勤務は単身赴任が長かったため、まさにゴルフ狂の本領発揮で土日連続プレーも数多くしました。ホームコースはロンドン郊外の名門ウェントワースクラブで、三つのコースがあります。メインのコースは、ＰＧＡツアーズ選手権やワールドマッチプレーなどが開催される林間コースで、さわやかな風がそよぎ、花が咲き誇る五、六月のプレーはプレーヤーにとって至福の時間。時には一人で出かけてプレーを楽しむこともありました。アーニー・エルスという往年の名選手の自宅がゴルフ場の敷地内にあり、時々練習する姿を見かけたりもしました。

中国パワーが地球を覆い尽くさんばかりの勢いであった二〇一〇年代、このクラブは中国資本の手に渡りました。会員権の価格は以前の一〇倍、三〇〇〇万円以上に設定され、私たちには高嶺の花となり、残念な気持ちになります。

ウェントワースクラブ

イギリスから飛行機で二時間弱のスコットランドはゴルフ発祥の地で、全英オープンが開催されるコースが数多くあります。有名なセントアンドリュースには四つのコースがあります。権威あるオールドコースでのプレーは一九九〇年代当時は比較的可能で、電話で予約ができ、三回プレーしました。コース自体はそれほど距離がなく、難コースという印象はありませんでした。しかし、ボールが背の高いラフに入ると見つけることが難しい状態になります。また、全部で一一二個あるバンカーは、どれも背が高くてなかなかボールを出すことができず、結局一五本目の〝ハンドクラブ〟で拾い出すということもよくありました。

　これ以外に印象的なコースは、一七四四年にオープンしたミュアフィールドです。あの地区特有の垂れ下がった雲、海岸からの冷たい風、そして生い茂るラフ、

セントアンドリュースリンクス

茶色のフェアウェイなど、華やかなアメリカのコースとは異なり、まさに古《いにしえ》の厳かな世界が広がっているコースです。ティーグランドに立つと、重々しい空気に圧倒された記憶があります。ミュアフィールドは二〇一七年までは女人禁制のポリシーを掲げていて、クラブハウスにも入室できませんでした。私は、若い後輩と一緒にミュアフィールドに行ったのですが、後輩の奥様は私たちがプレーを終えるまで車で四時間以上も待っていたのです。

もう一つ、スコットランドの西海岸にあり、非常に美しい景観でプレーヤーを魅了するターンベリーというコースをご紹介します。ここは海越えのホールや大きなバンカーの中にアイランド型のラフがあるなど、プレーヤーのチャレンジ精神をくすぐるコースです。一時は日本企業が所有していましたが、現在はアメリカの前大統領トランプ氏のグループ企業がオーナーになり、その名もトランプターンベリーに変わってしまいました。イギリスのトランプ嫌いは非常に有名で、このコースがトランプ氏の企業が所有した途端に、全英オープンの開催コースから外されたというエピソードがあります。

スコットランドはまさにリンクスという地形的な特徴や海流の影響による厳しい天候、あるいは歴史に刻まれた風格あるクラブハウスなど、日本では経験できないゴルフ環境にあります。是非ゴルフ発祥の地の本物のコースを経験してみて下さい。プレー代は各コースとも一万円から五、六万円とリーズナブルです。ただ、美味しい食事を見つけるのは至難の業ということにはご留意ください。

（二〇二三年四月一八日開催分）

世界のゴルフ場一〇〇選

私の印象に残っているゴルフ場といえば、まず中国のゴルフ場です。日中間が現在のような緊張関係になかった二〇〇六年、提携している中国の大手証券会社を訪問するために上海へ行きました。そして、帰国当日に飛行場近くのゴルフ場でプレーしました。非常に日本的なコースで、提携先企業の幹部と和気藹々《あいあい》とした雰囲気の中で楽しいゴルフをしました。その際、驚いたのはキャディの教育が行き届き、マナーも大変良かったことです。特に感心したのが、ボールからピンまでの距離の正確さです。距離計がない時代でしたが、日本語で「一三六ヤード」と一ヤード刻みで正確に伝えてくれました。

アジアでもう一つ、大都会・香港の真ん中に三つのコースがある香港ゴルフクラブをご紹介します。三つのうちの一つはアジア最古で、バンカーやフェアウェイ、ラフはイギリス風の非常に難しいコースでした。真っ黄色のスポーツカーで現れた私の友人は、親しい金融財閥ファミリーの長男でゴルフが大好きでした。彼は、このゴルフ場のメンバーになるには一定の社会的ステータスと忍耐力が必要と得意げに言いました。多くの人がメンバーの申請をしているが、ウェイティング状態で何十年も待たなければならないと教えてくれました。ただ、「香港ゴルフクラブの廃止運動が起きている。人口が増え、居住地区の開発が限られている香港では、このような贅沢なゴルフクラブは取り潰せという声が大きくなっている。あと何年プレーできるかわからない」と悲しげに話していたことを思い出します。

ヨーロッパでは、アイルランドのバリーバニオンも印象深いゴルフ場でした。世界のゴルフ場一〇〇選で第二四位、砂浜近くのゴルフ場で、荒々しいコースの中に多くのバンカーが配置され、海からの風が大変強いため、私が経験したゴルフ場では最も難しいコースの一つです。ただ、クラブハウスで出会うアイルラン

香港ゴルフクラブ

バリーバニオンゴルフクラブ

ド人はみんな素朴で人が良く、難コースで打ちひしがれたプレーヤーの心が癒される、温かな空気が流れるゴルフ場でもありました。

アメリカのゴルフマガジン社が毎年出版している『世界のゴルフ場一〇〇選』で紹介されているゴルフ場に、アメリカは五一、スコットランドは一二、イングランドは一〇、そして日本は二つのゴルフ場がランクインしています。日本のゴルフ場の一つは廣野ゴルフ倶楽部で三七位、もう一つは川奈ホテルゴルフコースで六二位です。一〇〇選のうち私がプレーしたのは一二ですので、まだまだ制覇したとは言えません。残り少ない人生で、少なくとも二〇は制覇してぽっくりと旅立ちたいと思っています。

（二〇二三年四月二五日開催分）

米国ゴルフマガジン社が選出 2021年～2022年『世界のゴルフ場100選』

順位	ゴルフ場／国名	順位	ゴルフ場／国名	順位	ゴルフ場／国名
1	Pine Valley／米国	34	San Francisco／米国	67	Royal Lytham & St.Annes／イングランド
2	Cypress Point／米国	35	North Berwick(West)／スコットランド	68	Winged Foot(East)／米国
3	St.Andrews(Old)／スコットランド	36	Lahinch(Old)／アイルランド	69	Prestwick／スコットランド
4	Shinnecock Hills／米国	37	Hirono／日本	70	Cape Wickham／オーストラリア
5	National Golf Links of America／米国	38	Barnbougle Dunes／オーストラリア	71	Sleepy Hollow／米国
6	Royal County Down／北アイルランド	39	Carnoustie(Championship)／スコットランド	72	Myopia Hunt Club／米国
7	Royal Melbourne(West)／オーストラリア	40	The Country Club(Clyde/Squirrel)／米国	73	Ohoopee Match Club／米国
8	Oakmont／米国	41	Morfontaine／フランス	74	Ardfin／スコットランド
9	Augusta National／米国	42	Royal Birkdale／イングランド	75	Casa De Campo(Teeth of the Dog)／ドミニカ共和国
10	Sand Hills／米国	43	Somerset Hills／米国	76	Oak Hill(East)／米国
11	Muirfield／スコットランド	44	Cabot Cliffs／カナダ	77	Castle Stuart／スコットランド
12	Royal Dornoch／スコットランド	45	Garden City／米国	78	Cabot Links／カナダ
13	Merion(East)／米国	46	Southern Hills／米国	79	Royal Liverpool／イングランド
14	Pebble Beach／米国	47	New South Wales／オーストラリア	80	Bandon Dunes／米国
15	Royal Portrush(Dunluce)／北アイルランド	48	California Golf Club of San Francisco／米国	81	Kingsbarns／スコットランド
16	Fishers Island／米国	49	Shoreacres／米国	82	Whistling Straits(Straits)／米国
17	Pinehurst No.2／米国	50	Swinley Forest／イングランド	83	Ellerston／オーストラリア
18	Trump Turnberry(Ailsa)／スコットランド	51	Cape Kidnappers／ニュージーランド	84	Rock Creek Cattle Company／米国
19	Chicago GC／米国	52	Bethpage(Black)／米国	85	Muirfield Village／米国
20	Los Angeles(North)／米国	53	Portmarnock(Old)／アイルランド	86	Koninklijke Haagsche(Royal Hague)／オランダ
21	Friar's Head／米国	54	Ballyneal／米国	87	Quaker Ridges／米国
22	Kingston Heath／オーストラリア	55	St.Patrick's Links／アイルランド	88	St.George's Hill(A&B)／イングランド
23	Tara Iti／ニュージーランド	56	Maidstone／米国	89	Yeamans Hall／米国
24	Ballybunion(Old)／アイルランド	57	Baltusrol(Lower)／米国	90	Peachtree／米国
25	Winged Foot(West)／米国	58	Camargo／米国	91	Bandon Trails／米国
26	Prairie Dunes／米国	59	Royal Troon(Old)／スコットランド	92	Old Town／米国
27	Riviera／米国	60	Kiawah Island(Ocean)／米国	93	Nine Bridges／韓国
28	Pacific Dunes／米国	61	Woodhall Spa(Hotchkin)／イングランド	94	Royal Melbourne(East)／オーストラリア
29	Crystal Downs／米国	62	Kawana(Fuji)／日本	95	De Pan(Utrechtse)／オランダ
30	Sunningdale(Old)／イングランド	63	Cruden Bay／スコットランド	96	Olympic(Lake)／米国
31	Oakland Hills(South)／米国	64	Sunningdale(New)／イングランド	97	Les Bordes(New)／フランス
32	Seminole／米国	65	Inverness／米国	98	Diamante(Dunes)／メキシコ
33	Royal St George's／イングランド	66	Rye(Old)／イングランド	99	St. George's／カナダ
プレイ済　観戦				100	The Golf Club／米国

第十一章

危機の時代

世界の金融危機

アメリカ・カリフォルニア州のシリコンバレーバンクが経営破綻し、世界を驚かせました。それに続いて、世界で最も信頼度が高く、私たちにとっては憧れの金融グループでもあったクレディ・スイスが破綻し、UBSに買収されました。これらは突然起こったように思われますが、金融危機の兆候はいくつもありました。

　金融界に「炭鉱のカナリア」という言葉があります。昔、ヨーロッパの炭鉱ではガス検知方法としてカナリアを鳥かごに入れて持ち込み、泣き止んだり、止まり木から落ちたりしたらガス濃度が高まったとして炭鉱

クレディ・スイス

シリコンバレーバンク

夫が逃げたそうです。こうした逸話から景気減速、金融危機の危険度を示す指標の総称として炭鉱のカナリア指標と呼ばれるものがあります。

例えば、債券の長短金利差が逆転するのもこの指標の一つです。経済がノーマルな時は長期金利が短期金利より高いことが一般的ですが、長短が逆転したらインフレが進み、金利が暴騰して景気が悪化し、金融機関の経営が揺らぐことがその理由です。また、信用度の低い投資ファンドからの資金流出も炭鉱のカナリア指標として要注意と言われています。

この指標を見る限り、最近一年間は最も危険な領域に入ったと言われました。リーマンショックから一四年が経過し、世界的な金融緩和によって金融マグマが膨張を続けて爆発寸前でした。また、ハイリスク・ハイリターンを好む投資家用のヘッジファンド、当局

炭鉱のカナリア（イメージ）

の規制外のノンバンクの貸出ファンドがここ十数年、相当なスピードで残高を増加させ、よりハイリスクな投資に向かっていました。

さらに、紐付き資産が不明確な仮想通貨の取引が急膨張していきましたが、関係会社の破綻や規制強化の動きもあり、残高が急落しました。これもカナリアが泣き止んだ現象、すなわち金融危機の前兆と言われていたのです。

一九九七年のアジア通貨危機時には、新興国の外貨借入れが急膨張しました。ドルの金利が高騰し、各国の通貨価値は下がり、現地通貨建て債務が急膨張、返済不能が多発し、アジア通貨危機につながったと言われています。これと同じ現象が今起きています。また、中国の住宅マーケットのバブル、アメリカの住宅ブーム、それに伴う住宅

アジア通貨が軒並み下落

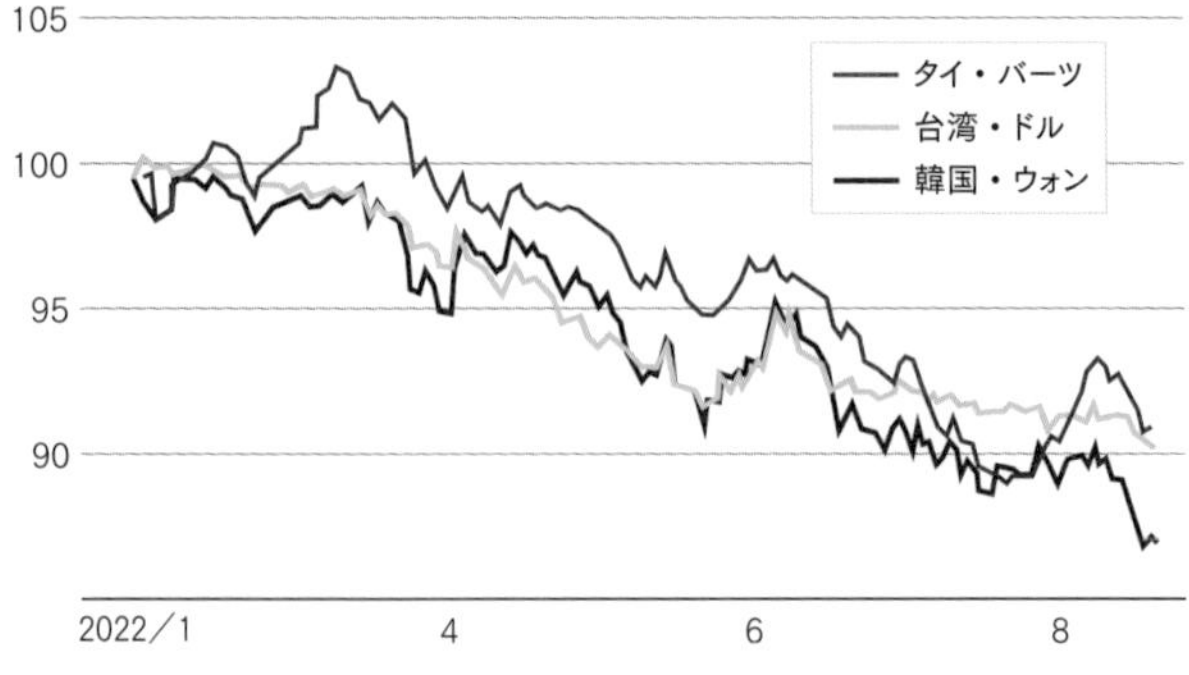

（注）2021年末=100、対米ドルの推移

価値の高騰なども危険の証で、まさにマグマが臨界点に達しているというのがここ一、二年の状況でした。

こうしたマグマが何をきっかけに爆発するかは、誰にもわかりません。元FRB議長のグリーンスパン氏は、バブルは破裂しないとバブルとわからないと言っています。歴史を見るとバブルが破裂し、金融危機が発生するきっかけは様々ですが、どれも金利の急騰が導火線になっています。八〇年代にアメリカで起こったボルカーショック、九〇年代の日本の銀行危機、そしてリーマンショックなどは全てこの例にあてはまります。所有資産の不良化、価格の下落により銀行の信用力が揺らいでくることが、金融危機の引き金になるのです。

今回のシリコンバレーバンクやクレディ・スイスも、結果的に金利急騰の悪魔が銀行を襲い、破綻へ導いたと思っています。恐ろしいのは金利の動向です。金利が名目成長率を超えた場合、金融動揺が起きるということを肝に銘じるべきと。

（二〇二三年五月九日開催分）

世界の金融危機②

私は長い銀行員生活の間で、多くの金融危機を体験したことを先にお話ししました。金融危機がいつ、どの程度の規模で発生するかは誰も予測できません。ただ、金融危機は次のような特徴があると思います。

一つ目は、突然発生するということです。マグマが膨張している兆候はわかりますが、爆発は突然起こるというのが実感です。例えば、この度のシリコンバレーバンクの破綻は誰も予測できませんでした。スマホでこの銀行の財務状況が危ないという情報が駆け巡り、一気に預金流出が起こって破綻しました。

ＤＸ時代の今は、昔以上に情報が速く駆け巡り、突然鎖が切れてしまいます。リーマン危機の時もそうでした。マーケット関係者はリーマン・ブラザーズのリスクの高さを感じていたものの、破綻は突然やってきました。リーマンのＣＥＯリチャード・ファルド氏は、ワンマン経営として名高い人物。ファルド氏は破綻の一週間前に社員全員にメールを送り、我々は大丈夫という宣言をしていました。確かにアメリカの財務省、ＦＲＢはリーマンを政府資金で救うことを考えていました。しかし、議会筋がそれに反対し、救済案はなかなかまとまらず、その結果破綻に至ったのです。

ただ、リーマンより救済額が大きいＡＩＧの破綻は、その後に政府救済によって回避されました。今でも、誰がどうしてリーマンを見捨てたのか、その理由が金融界の謎になっているのです。

リチャード・ファルド
元リーマン・ブラザーズCEO

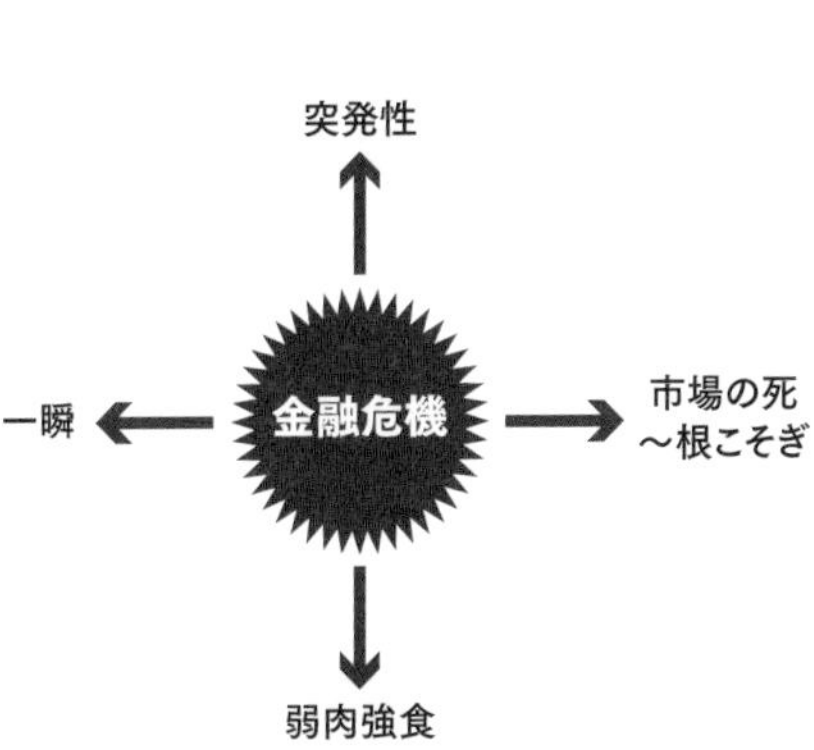

金融危機のもう一つの特徴は、あっという間に破綻のドミノ現象が起きるということです。今回もシリコンバレーバンクに続き、シグネチャーバンクが破綻し、ついには脆弱性と財務基盤の弱さが懸念されていたク

グリーンスパン元FRB議長

レディ・スイスも破綻し、UBSに買収されるという流れになりました。世界の金融取引は放射状に絡みあい、不安が不安を呼んで「危ない」といううわさが出ると、その金融機関は猛獣のようなファンドに攻撃され、強烈な売りを浴びせられるのです。金融市場の取引はパニック的に停止状態に、一瞬のうちに死んだ状態になります。

私が経験した一九七三年のオイルショック時のバンコクマーケットや、一九九〇年代後半の日本の銀行危機では、金融市場の多くの取引が突然停止され、死んだ状態になりました。それ以外でも、ロンドンに駐在していた一九九三年、グリーンスパン氏が議会演説で金利を上げ

クレディ・スイス株価推移

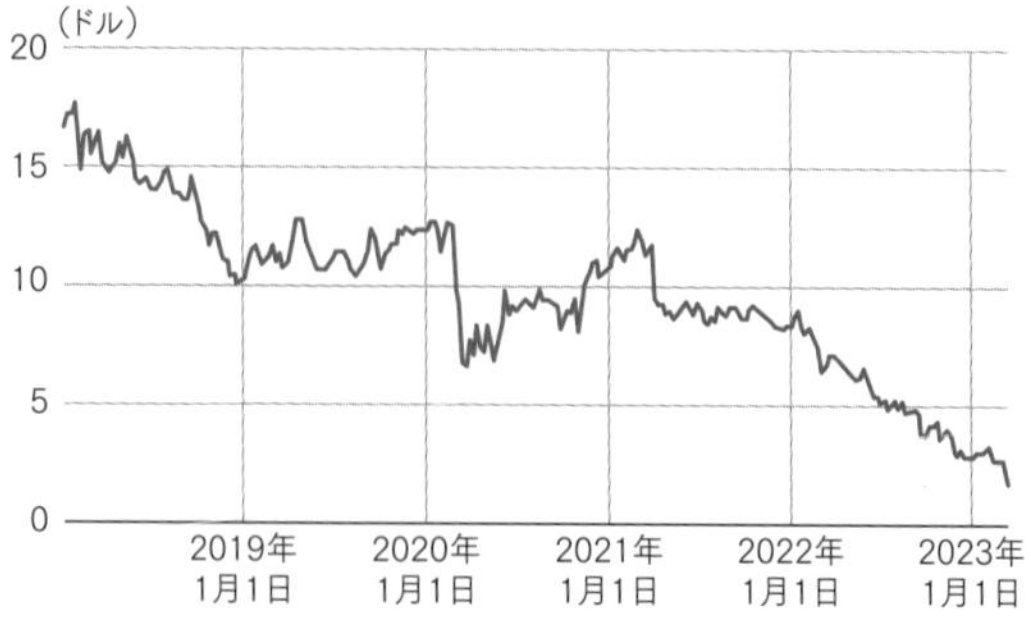

るという意思表示をした途端にマーケットがパニックになり、その後一週間は世界の債券取引がほとんど停止状態になりました。高い格付けの債券でさえ、誰も売買しなくなりました。

マーケットには悪魔が住む、というのが実感です。クレディ・スイスは多くの経営課題を持ち、株価も数年前から下落していました。そういう瀕死の状態で今回のようなことが起こると、恐怖の連鎖によって倒されてしまいます。一九九七年のアジア通貨危機の時のアジア各国の銀行の倒産、日本の銀行危機の時の倒産連鎖も、弱いところから死の宣告が下る非情な世界を示しています。それが金融市場なのです。

（二〇二三年五月一六日開催分）

世界の金融危機③

シリコンバレーバンクの破綻は今までには見られない背景・要因があったと言われています。一つ目は大口預金者に依存していた預金構造。二つ目は、急激に増加した預金に対応する融資を見つけることができず、運用をリスクの高い債券に頼っていたこと。三つ目は、ＤＸの発展により預金者は窓口に来る必要がなく、スマホで簡単に預金を移動させることができたこと。いわゆる〝デジタルバンクラン〟が起きたことです。

つまり、小口分散預金者が多数であれば、預金流出は瞬時に起きず、運用がローン中心であれば資産の目減りは一挙に起きません。しかし、債券投資は金利高騰の余波を受け価格が一挙に下落し、資産内容が急激に悪化するのです。そして、ＤＸの発展により、預金はより安全なもの、より金利の高いものに簡単に移動し、うわさの銀行は預金流出の恐怖に直面するのです。

この現象は日本でも起きています。ＳＢＩが買収した新生銀行は預金総額が六兆円でしたが、金利を上げることで、三ヶ月であっという間に三兆円の新しい預金を集めました。また、最近上場した楽天銀行もネットバンクですが、預金総額は九兆円程度。一年もしないうちに一兆円以上の新規預金を、金利やポイントサービスを付与して集めています。

それに比べて、伝統的な銀行も最近預金増が目立つと言われているとはいえ、預金量五兆～六兆円の地銀の年間預金増額はせいぜい二〇〇〇億円程度です。ネットバンクとは増加額が圧倒的に異なることから、銀行のビジネスモデルの変化が見て取れます。預金がＤＸ等で簡単に集まるということは、何かの現象で瞬時に預金が流出する危険

SBI新生銀行　預金総額

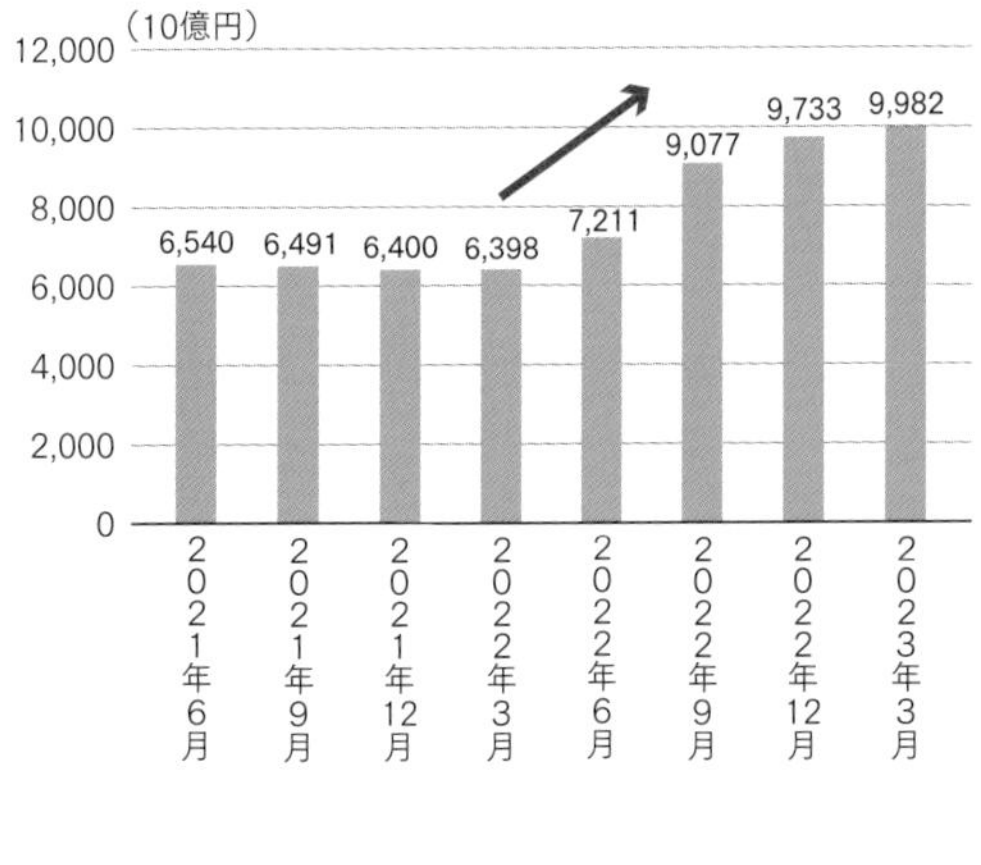

性も併せ持っているとも言えます。今回の金融危機の要因は急激な金利高・銀行規制の緩和・ＤＸなどの新技術の三点が背景にあったと言われており、そのどの要素も今の日本でも起こり得ることなので要警戒だと考えています。

私たちの会社では「生き物からの教訓」というリスク管理のポイントを示すルールがあります。

一つ目はキツツキのくちばし。これは一般的な情報ではなく、政治や国際情勢、ヘッジファンドなどの動きに関する情報を深掘りすること。例えば、日本の株価は今熱狂なき高値という状況になっています。高値の背景は何か、それは欧米の機関投資家が日本に目を向けだしたからです。東京でハイヤーが捕まりにくくなったのは、欧米の運用機関の関係者が相当日本に来て調査をしていた

楽天銀行　預金総額

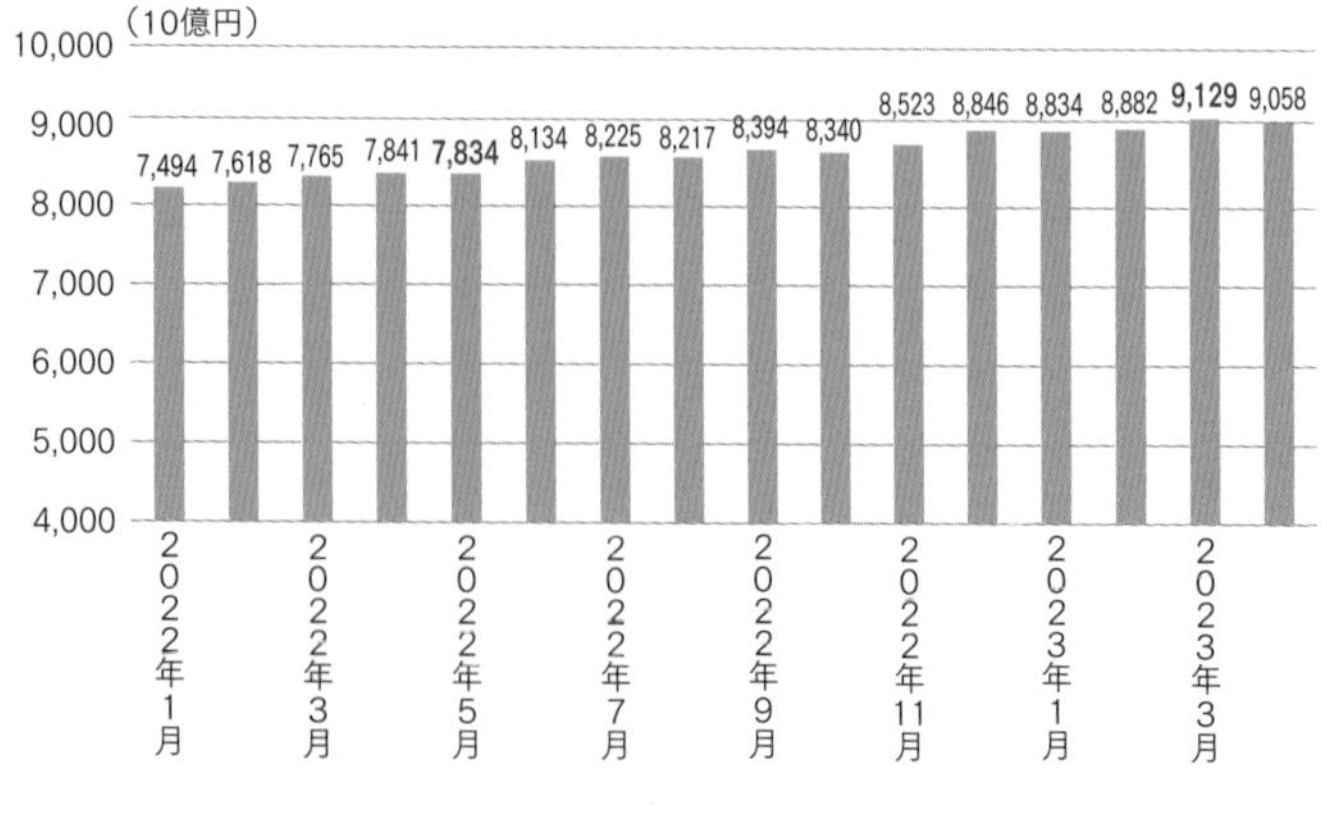

証とも言われています。ともかく、表面情報の裏をどう取るかが試されるのです。

二つ目はシマウマの団結。シマウマは敵の攻撃を受けたら、群が集結し、お尻を外にして円陣を組んで敵を撃退するのです。私たちも何か事が起きたら関係者はすぐに集結し、情報の共有、対応について徹底議論し解決を図るのです。グッドアイデアは必ず出てきます。

三つ目は水鳥の飛び立ち。水鳥は常に天敵からの攻撃を警戒し、攻撃を受けたら直ちに飛び立てる準備を常にしていると言われてい

生き物からの教訓　～備えよ常に～

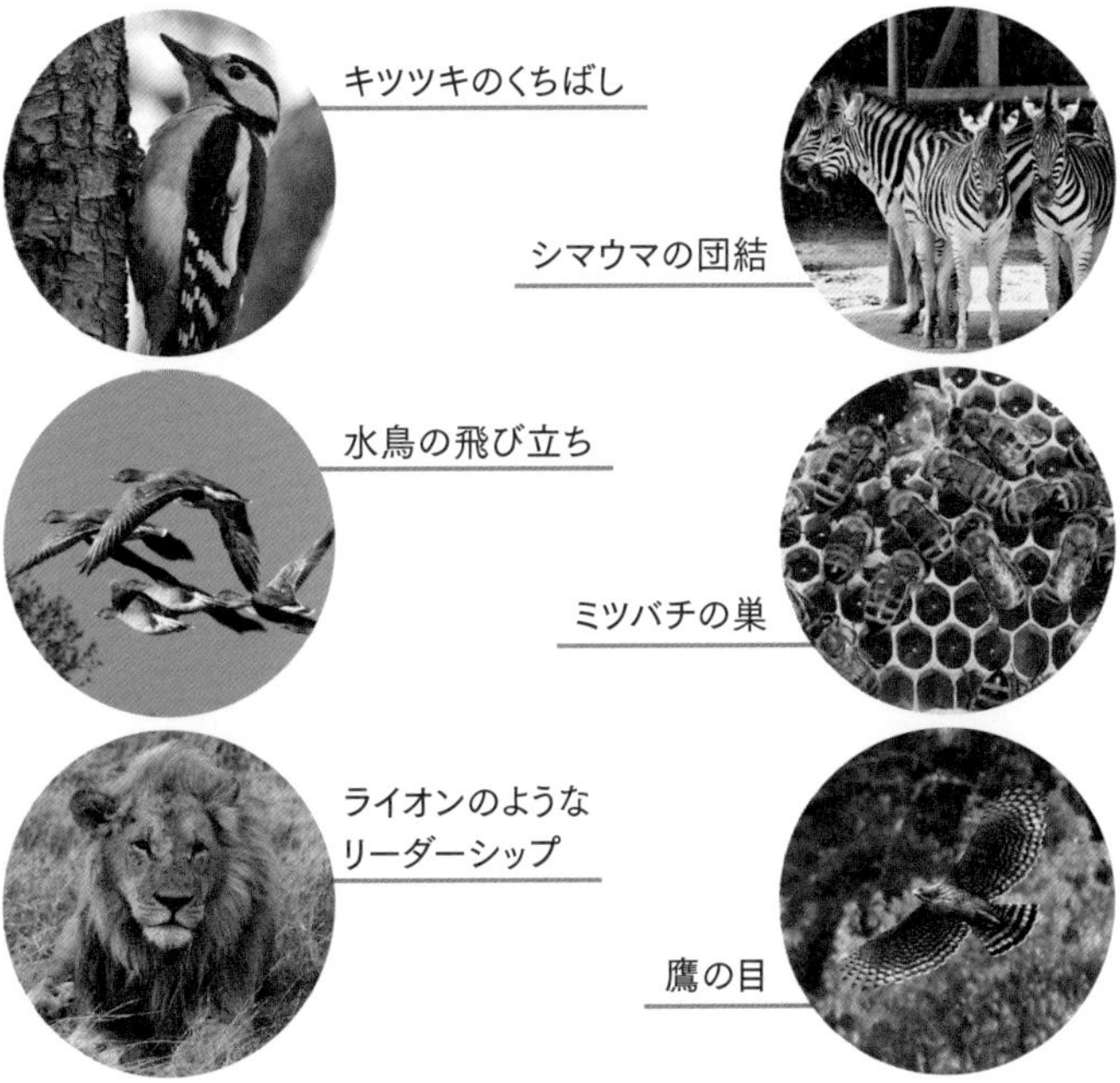

ます。私たちも資産の売却、資金の確保を常に考えよと、特に〝売却しづらい資産〟、流動性のない資産は持つなと今は言っています。金融危機の時、まずすべきは〝資金繰りの確保〟、そして〝資産の流動性の確保〟がポイントであると言えるのです。

四つ目はミツバチの巣。どんなに警戒しても、準備をしても、金融危機の余波を受けるのを避けられない時があります。その時のために、留保資金と積立金、資本を厚くして耐える力をパワーアップしておく必要があります。ストレステストをして〝最悪に備えよ〟と言っています。

五つ目は的確な判断と断固たる決断ができるライオンのようなリーダーシップ。そして、そのリーダーは空高くから大きな動きの流れを把握できる鷹の目も持つ必要があるのです。

今回の金融危機はアメリカ政府の勇気ある機動的な政策により一旦は収まりました。ただ、マグマの膨張は収まっていません。日本も、金融システムは健全と言われていますが、本当にそうでしょうか。ヘッジファンド等がささやいている〝日本国債の格下げの懸念〟、それが起きたら金融パニックは必至です。

〝備えよ常に〟を忘れないようにお願いします。

（二〇二三年五月二三日開催分）

第十二章
日本の黄昏と再興

日本の黄昏

最近、日経平均が上昇し、三三年振りの高値と言われています。しかし、日本人がバブルに酔いしれているわけではなく、株高で巨万の富を手に入れたという話も届いてきません。まさに熱狂なき株高です。

今回の日本株の高騰は、欧米の投資家、大手運用会社、ファンドなどプロの運用者が大型株を中心に日本株を買い漁っていることが背景にあります。金融緩和政策の継続、止まらない円安、東証によるＰＢＲ一倍への回復の奨励、日本企業のガバナンス改革や好調な業績、さらにはバフェットによる日本株購入の刺激などが、こうした動きの理由と言われています。

一年前まで欧米の投資家は日本の将来に大きな疑問を抱き、日本病は治療不可能と警戒的でした。ジャパン・アズ・ナンバーワンは過去の栄光で、輝かしい時代は二度と来ないと考えられており、日本は灰色のサイ、あるいは部屋の中のゾウの状態とも言われていました。日本は深刻な構造問題を抱えており、全てを誰もが認識しているが誰も根本的な解決に取り組まない。これは灰色のサイ、部屋の中のゾウの状態そのものだ、ということです。

アフリカのサイは普段、砂漠の草を食べておっとりしているように見えますが、一旦事が起こると手が付けられないほど狂暴になり、村落を破壊するほどのものすごいエネルギーを持つ恐ろしい動物だそうです。また、小さな部屋の中でかわいく育てられている子象のダンボは、時間が経つにつれて巨大になり、部屋はもちろん家そのものを破壊するという悲惨な状況を作ります。すなわちサイの凶暴

灰色のサイ

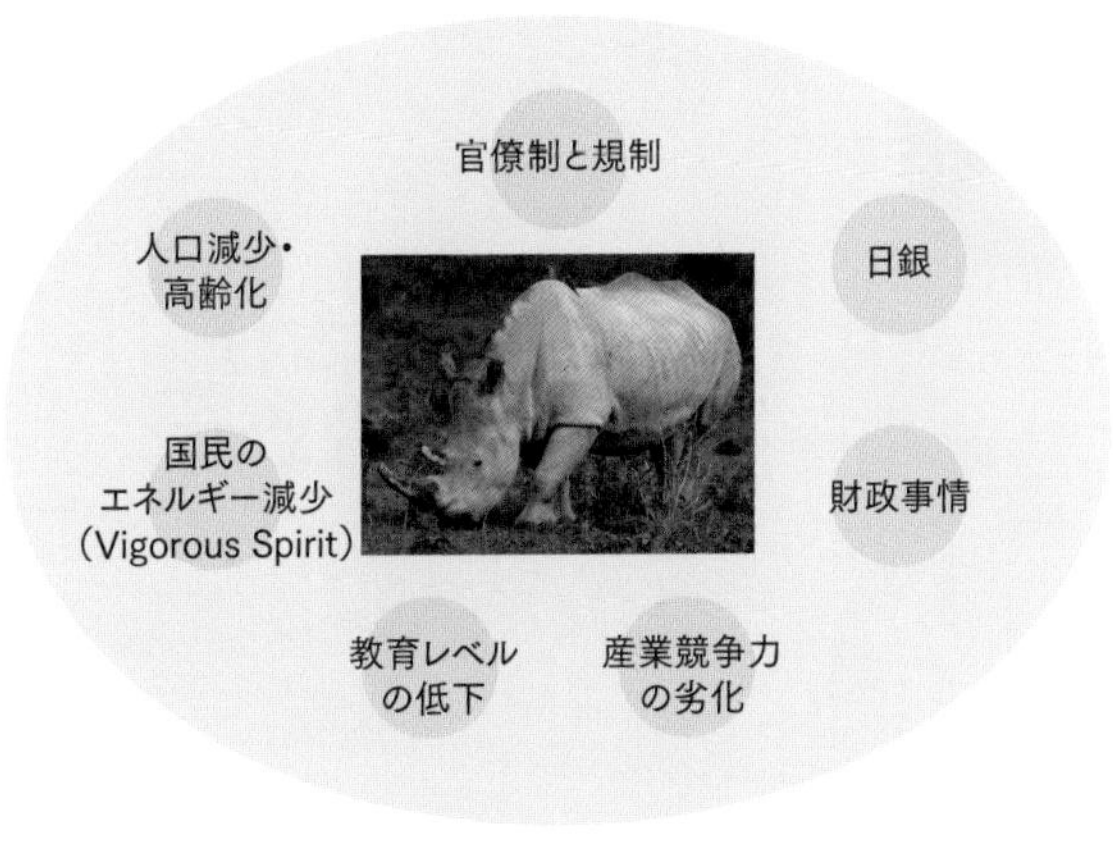

さ、子象の成長による破壊力、誰もが知っているが、誰も手を付けられない、日本は今そんな状況にあるとのたとえです。

高齢化、人口減少などに直面しているのに、移民問題を含め誰も真剣に取り組みません。規制緩和が長年言われていますが、官僚の抵抗や縄張り意識もあって全く実行されていません。そして、巨額な含み損が発生しかねない国債を抱えた日本銀行の財政状況、あるいはギリシャより悪化しているといわれる政府債務の対ＧＤＰ比率。世界が称賛した産業競争力も年々劣化し、教育の質も低下しています。そもそも高度成長期に世界を驚かせた日本人のエネルギーは今は微塵《みじん》も感じられません。善人の多い、優しい国だけでは投資でき

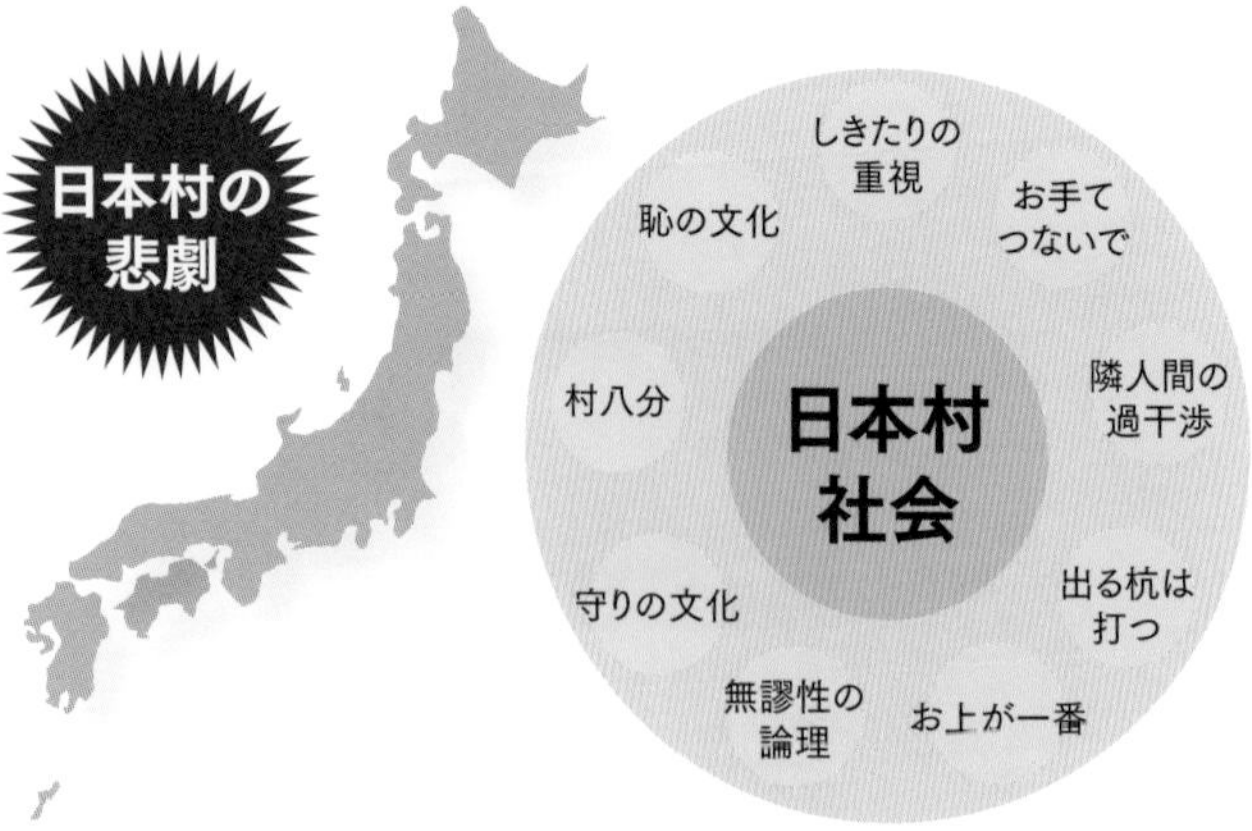

ないというのが欧米の投資家の見方だったのです。

これらは解決できるのか？　日本の文化や作法、気質、社会のしきたりなど、日本の構造そのものに根本の問題があるから解決は難しいとも言われています。ある識者は、「恥の文化が浸透しているため、荒唐無稽な大チャレンジは絶対にしない。村八分を恐れ、守りの文化が根付き、出る杭は社会が葬り去る。閉鎖的な社会で生き抜くためにしきたりに従って、みんなで渡れば怖くないという安全心理が見える。お上に逆らえばしっぺ返しを食らってひどい目にあうから、大人しくしていることが一番だと考えている」と言います。日本の復活は下天の夢かと思わせる意見です。

こうした日本になぜ欧米の投資家が最近投資を始めたのでしょうか。なぜバフェットが株を買っているのでしょうか。最近、日本を見直す本が出版されて注目を集めています。ドイツの女性学者が書いたものです。日本の凋落《ちょうらく》や黄昏を示す指標などとともに、この本について後ほどご紹介したいと思います。

（二〇二三年五月三〇日開催分）

日本の黄昏②

日本のパワーがこの二〇～三〇年の間にいかに低下しているか、また世界での国力ランキングの順位がどれほど落ちているかについてお話しします。

まず、国のパワーの指標であるＧＤＰは四・四兆ドルで世界三位を何とか保っています。驚くべきは、昨年一二月にゴールドマン・サックスから発表された五〇年後のＧＤＰランキングです。日本は一二位となっています。上位にはインドネシア、ナイジェリア、

世界のGDPランキング

Ranking	1980	2022	2075
1	**United States**	**United States**	**China**
2	**Japan**	**China**	**India**
3	Germany	**Japan**	**United States**
4	France	Germany	Indonesia
5	United Kingdom	**India**	Nigeria
6	Italy	United Kingdom	Pakistan
7	**China**	France	Egypt
8	Canada	Canada	Brazil
9	Argentina	Russia	Germany
10	Spain	Italy	United Kingdom
11	Mexico	Brazil	Mexico
12	Netherlands	Korea	**Japan**
13	**India**	Australia	Russia
14	Saudi Arabia	Mexico	Philippines
15	Australia	Spain	France

出所：ゴールドマン・サックス　グローバルレポート　2022/12/06

パキスタン、ブラジル、メキシコというグローバルサウスの国々が並んでいます。一位は中国、二位はインド、三位はアメリカとなっています。

　こうした国力低下の要因は人口の規模、高齢化の結果だと言われています。現在、日本の人口は約一億二五〇〇万人、六五歳以上の高齢者は約三〇％を占めています。インドネシアの人口は約二億七〇〇〇万人で高齢者は六・七％、ナイジェリアは約二億一〇〇〇人で高齢者は二・九％です。

　一人当たりのＧＤＰの推移を見ると、日本の凋落に愕然とします。今でも、ドイツ、イギリスより劣位にあり、台湾、韓国にも抜かれている状態で、国別ランキングでは三〇位

主要国の一人当たりGDPランキング推移

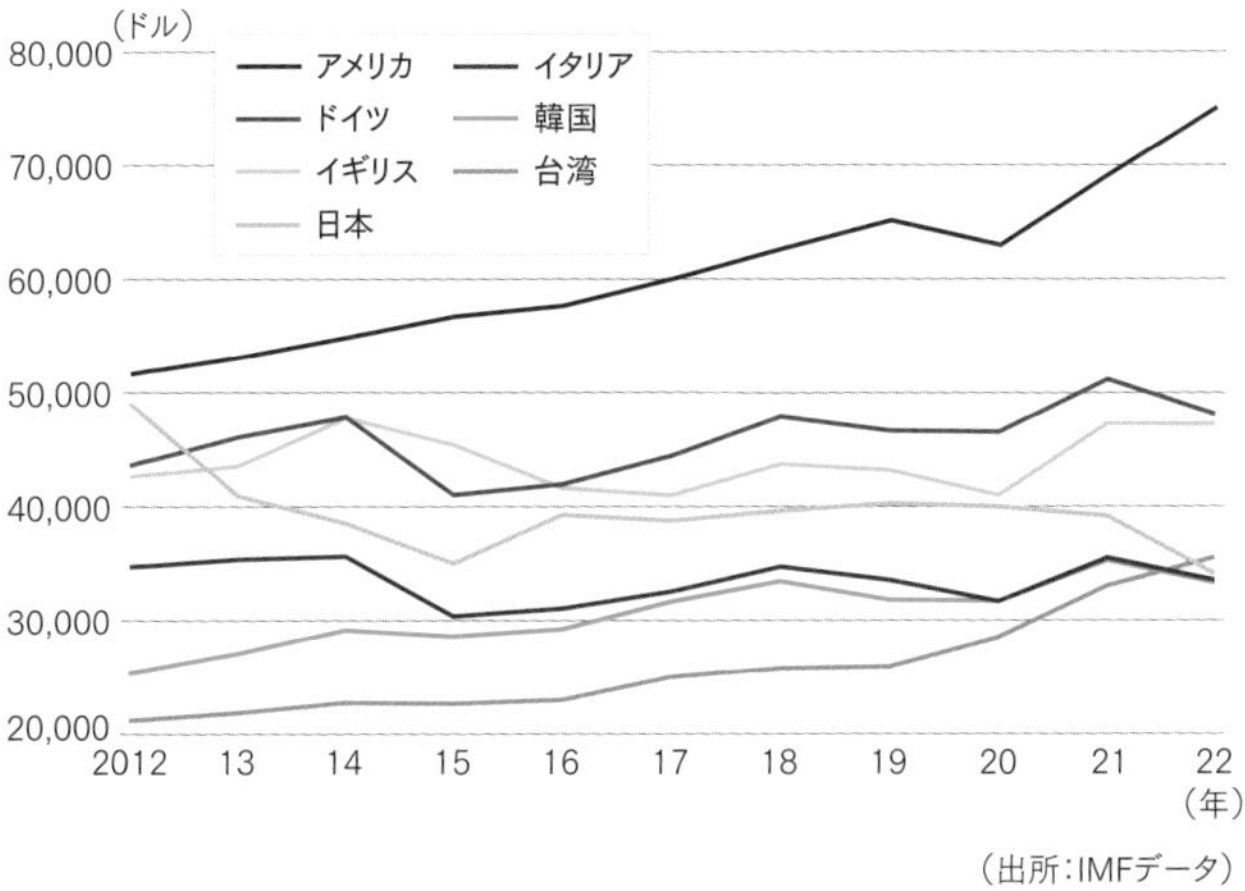

(出所：IMFデータ)

という散々な状況です。

　経済成長をつかさどる要因は人口、資本、技術進歩と言われていますが、日本の産業競争力も落ち込んでいます。日本の国力低下と同じようにつるべ落としという表現が似合うほど劣化しています。スイスのビジネススクールであるＩＭＤが毎年発表している世界競争力ランキングにおいて、日本は一九九一年時点で一位となっていましたが、現在は三四位までダウンしています。これはビジネスの効率性、インフラ、国内経済の状況、政治の安定性などから判断されています。

　日本の将来を思う時、産業競争力以上に心配なのが教育の低下です。世界の大学ランキングでは、東京大学が三九位、京都大学が六

IMD（国際経営開発研究所）
「世界競争力年鑑/世界競争力ランキング」日本の推移

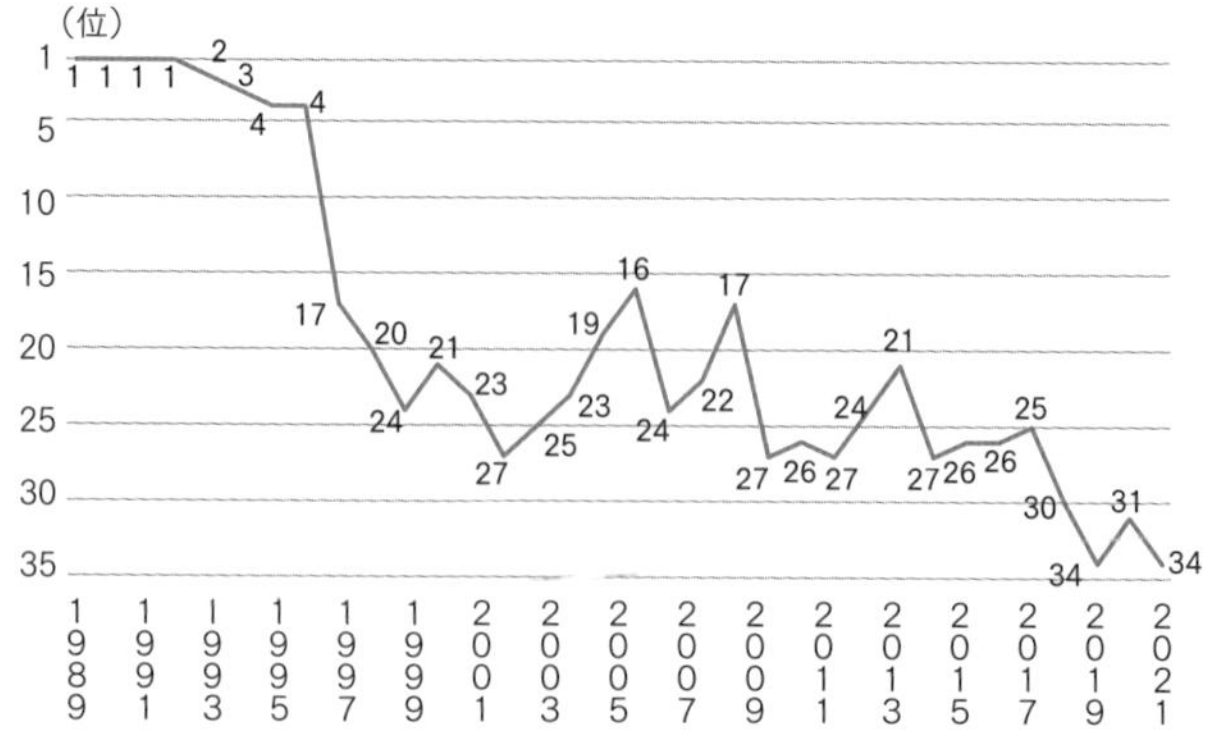

八位です。アジアの中心は中国で、一〇〇位までに七校がランクインしています。また日本人は社会人になってもあまり勉強しないと言われていますが、社会人教育参加率というデータはアメリカや韓国より低く、イタリア、フランスとほぼ同じレベルです。

金融・証券の世界を見ても日本の地位低下はハッキリと見て取れます。世界の取引所の時価総額の推移を見ると、日本の地位が恐怖を覚えるほど低下していることがわかります。この三〇年間で、ニューヨーク証券取引所の時価総額は一〇倍の大きさになりましたが、東京証券取引所のそれは一・三倍にしかなっていません。企業別時価総額ランキングでも、一九九〇年に日本企業は七社が世界一〇位以内に入っていましたが、今は一つも入っていません。

こうした時価総額、株価は一五年前のリーマンショック以降の動向を見ても日本の不振ぶりがわかります。リーマンシ

主要取引所の時価総額推移

	1990年	2022年	
ニューヨーク証券取引所	2.6(兆$)	**25(兆$)**	**約10倍**
東京証券取引所	584(兆円)	**735(兆円)**	約1.3倍

ヨック前から日経平均は七八％しか上昇していません。これに対してアメリカのＳ＆Ｐ５００は二倍以上に増えています。そして、ナスダックは実に四倍弱となるなど、株価の違いがハッキリと出ているのです。

一時は『日はまた昇る』という本が売れていました。今では「日本は捨てられる」という内容の本がよく売れていますが、最後の会長挨拶では、日本復活は実現しつつあるというお話をしたいと思います。

（二〇二三年六月一三日開催分）

世界の時価総額ランキング(1989〜2022)

Ranking	1989年	時価総額	2022年	時価総額
1	NTT	1,639億ドル	サウジアラムコ	2.27兆ドル
2	日本興業銀行	716億ドル	アップル	2.21兆ドル
3	住友銀行	696億ドル	マイクロソフト	1.92兆ドル
4	富士銀行	671億ドル	アルファベット	1.44兆ドル
5	第一勧業銀行	661億ドル	アマゾン	1.08兆ドル
6	IBM	647億ドル	テスラ	6,977億ドル
7	三菱銀行	592億ドル	バークシャー・ハサウェイ	6,025億ドル
8	エクソン	550億ドル	ユナイテッドヘルス	4,819億ドル
9	東京電力	545億ドル	ジョンソン&ジョンソン	4,671億ドル
10	ロイヤルダッチシェル	544億ドル	テンセント	4,460億ドル

日本の黄昏③

約四〇年前、日本車がアメリカ人にハンマーで壊されるという衝撃的なシーンを目にしました。輸入自動車が急増する状況に焦りを感じたアメリカ人が感情を抑えきれず行ったのか、販売に押され気味の米国自動車会社が仕かけたことなのか。いずれにしてもこの時代を象徴する事件でした。

日本車を破壊するアメリカ人

ジュリアナ東京

　今思えば、この事件がバブルの発生、あるいは崩壊の端緒でした。この後、アメリカの保護主義勢力が世界の主要国にプラザ合意を結ばせました。ニューヨークのプラザホテルに五カ国の首相が揃い、ドル高の是正策を打ち出したのです。ドルは二四〇円から二二〇円へと急落。一年後には価値がほぼ半減し、一五〇円台で取引されるようになりました。これに対し、日本は金融緩和政策を実施、日銀が金利を五％から三％とし、バブルの絶頂期へと向かっていきました。

　当時、私はアメリカの格付会社と次のようにやり取りしたことを覚えています。格付会社は私に「日本の不動産価格は暴落しないのか」と尋ねました。皇居近くのレストランで食事をともにしていた私は、「日本は居住地が狭く、不動産神話がある。目の前にある皇居の広さの時価が、カリフォルニア州全体の時価と同じだ。少々不動産価格が下がっても、大勢には影響がない」と答えたのです。その後、鬼平

円／ドル 為替レート

と言われた三重野康日銀総裁がバブル退治と称し急激に金利を上げたことで、バブルはあっという間に崩壊しました。

　歴史を振り返ると、バブル崩壊後、日銀は果敢な金融緩和政策をしませんでした。これが日本復活の芽を摘んだと言われています。消費税の導入など財政政策の過ちもあり、日本は長い長いデフレの泥沼に身を委ねることになりました。また、バブル崩壊によって銀行は不良債権にのたうち回り、結局、三菱を除く全ての都市銀行が破綻しました。東海銀行も実質的に消滅しました。バブル崩壊が日本衰退、日本

三重野康元日銀総裁

日本の公定歩合推移

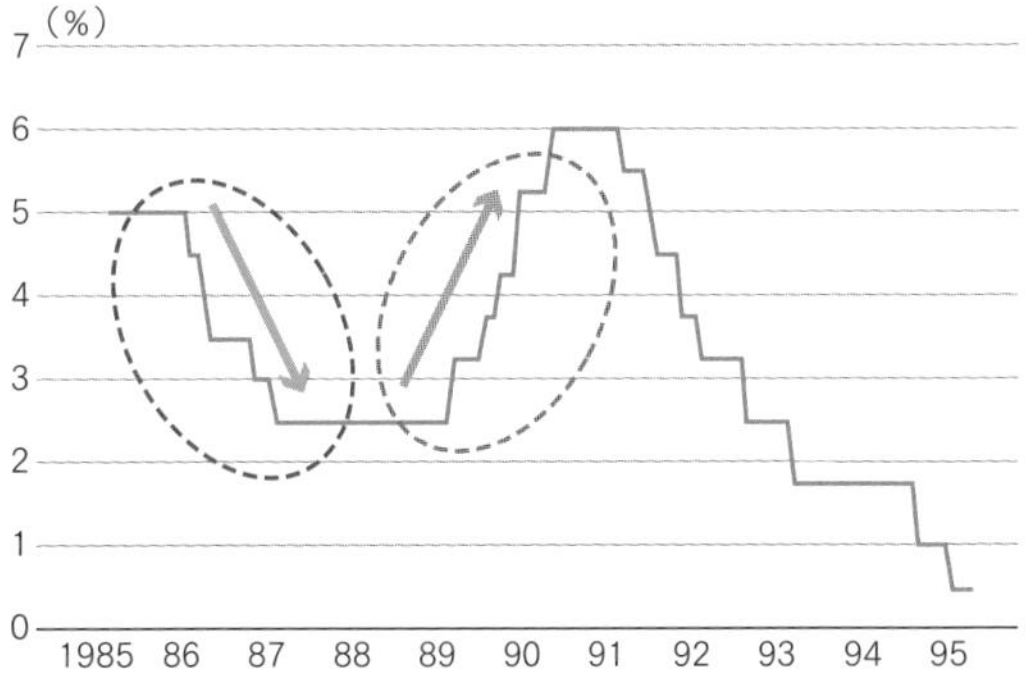

の黄昏の原因になったとも言われています。

こうした状況は日本人の心に深い傷を植えつけました。それでなくても慎重な日本人から、勇気という言葉を奪い去りました。企業は労働者の給与を上げず、万一のために貯蓄をして大きな投資を躊躇したことが日本の産業競争力低下の要因になったと言われています。そして、日本企業から技術や経営ノウハウを学んだ韓国、台湾、中国が一気呵成《かせい》に巨額投資を行い、日本を追い越していきました。日本の金融財政政策の失敗、企業リーダーの慎重さ、そして人口の減少や高齢化など日本の構造的な要因、村社会の気質などが日本復活の足かせになっていったのです。

今、日本は「安い日本」と言われています。香港の友人が私に「報酬はいくらか」と尋ねるので、おおよその数字を伝えました。税金を引いた数字も教えたら、「うちの課長クラスより低い」と言われたことを鮮明に覚えています。また、アジアの知人も「安い買い物をした。ニセコ近辺の山で、二〇億円だった。これから開発しようと思う」と言っていました。

安い日本、デフレ日本を何とかしなければならないという思いです。

（二〇二三年六月二〇日開催分）

日本の再興

日本は復活できるのか、これまで様々な処方箋が提示されました。アベノミクスの三本の矢は、その代表的な事例です。これに関する評価は色々ありますが、第三の矢である成長戦略、産業施策については決して多くの成果が得られませんでした。

私は「木曽駒塾」（中部産業界の一致団結した取り組みで、中部から優れたリーダーを輩出することを目的とした塾）で、次のような話をしました。二〇二一年の東京オリンピックでの成功を参考にしてはどうだろう、と。日本史上最多のメダルを獲得したオリンピックでの、若いアスリートの活躍が目に焼きついています。彼らにはホームの優位性があったと言う人もいますが、私は五つの成功要因があったと考えます。

それは戦略、資金、国際性、科学、そして個性重視です。

東京オリンピックの開催が決定した二〇一三年に、政府は選手の強化策を練っていました。この戦略に沿って選手を強化し、強化費を以前の二、三倍にアップしました。そして、日本ではなく海外でのトレーニングを支援しました。私どもの会社にも新体操のオリンピック選手がいますが、一年の三分の二はロシアで練習していました。そして科学的な強化策を取り入れるとともに、選手の個性を尊重するトレーニングを重視しました。

このような東京オリンピックの成功モデルを教訓として、日本は二〇年後の国家ビジョンなどを策定し、生かすもの、壊すものを明確にして新しい日本をつくり上げる必要があると思っています。

特に若い人の海外派遣を強化する必要があると思います。政府は、年間五万～一〇万人

東京五輪卓球混合ダブルスで金メダルに輝いた水谷隼選手と伊藤美誠選手

単位の国費による海外留学制度を実施するべきです。明治政府は国家予算の〇・三〜〇・四%、現在の日本の予算に換算すると五〇〇〇億〜六〇〇〇億円を費やして海外に留学生を派遣しました。こういう政策を参考にしたらどうでしょう。

　このようなことを考えていたら、日本復活の秘策を説くコンサルタントの存在を知りました。地元名古屋の千種高校から東大を経て、ボストンコンサルティングへ進んだ鈴木貴博さんです。鈴木さんは、日本は普通の改造ではなく魔改造するべきであると言います。

鈴木貴博氏

例えば、二〇〇〇万人の高級移民を招請して人口一億四〇〇〇万人を確保すること、リニアを博多まで延伸して地方創生に生かすこと、永久債を四〇〇兆円発行して成長投資に充てること、トヨタは巨大IT企業と合併することなど、様々な策を提案しています。そして『日本経済 復活の書』の最後には、このようなぶっ飛んだ発想を実現できる、イカれた人間をリーダーにするべきであると書いています。

　このような破天荒な提案は実現可能かと悩んでいる時

ウリケ・シェーデ氏

に、まさに夜空の北極星の如く、私たち日本人を勇気づけるドイツ人の女性学者、ウリケ・シェーデ氏が現れました。彼女はこう言っています。「日本は必ず再興する、いやもう再興しつつある。その根拠は、日本は世界で唯一タイトな文化を持つ国であることだ。アメリカのようにルーズではなく、規律を重視して安定を大事にする。そしてみんなに同意を取りつけて改革をゆっくり成し遂げるパワーを持つ、世界で唯一の国である。精密な技術力を必要とする半導体製造、精密機械などニッチ分野で力を発揮する。日本は集団的なニッチ戦略で必ず成功する。もう成功しつつある」。私はこの話を聞き、大谷翔平選手は二人いなくても、吉田正尚選手（ボストン・レッドソックス）が日本の産業界には大勢いるということか、と理解しました。

『再興』を読むと、嬉しさで涙があふれそうになりますが、その内容が現実であることが最近証明されています。岸田首相が官邸に半導体のセブンシスターズのヘッドを招待しました。彼らは日本への巨額な投資、日本の企業や研究機関との提携を約束しました。この背景には、台湾などの地勢学的な要因、円安などがありますが、タイトな文化である日本を信頼したからこその投資と信じています。

今、日本の株価は急騰しています。要因は様々ですが、欧米の日本株の見直しブームは勢いを増しています。私は日本株の復活は本物であると思っています。日本株は日経平均四万円を超える勢いです。弊社の社員からは「ご相談は是非弊社まで」と伝えるように言われています。どうぞよろしくお願いします。

（二〇二三年六月二七日開催分）

特別収録

テレビ愛知『私の一冊』より チャーチル著『わが半生』

——まず最初にこちらの本についてご紹介下さい。

この本は、イギリスの歴史を変えたチャーチル元首相が、自分の若き時代の半生を書いた本です。チャーチルは貴族出身ですが、どちらかというと学校時代は成績もあまりよくなく落ちこぼれでした。それが高校時代に、イギリスの教育制度の特徴である学校の寄宿舎に入ったことで、大いに鍛えられました。残念ながらオックスフォードやケンブリッジという一流大学には入れなかったのですが、陸軍士官学校に入ります。その陸軍士官学校で〝ノブレス・オブリージュ〟という、いわばリーダーはこうあるべきだという哲学を色々教えられ、また体験しました。そして、陸軍士官学校を卒業してからすぐ、キューバ、インドあるいは南アフリカなど色々な場所の戦闘に参加するわけです。
それらの逸話が読み手をとてもワクワクさせる。そういう物語の本でもあります。特にボア戦争という、難民ボア人とイギリス軍の戦いの中で一旦捕虜になるのですが、なんとか抜け出して無事にイギリスに戻る。すると母国ではヒーローのように迎えられ、政治の道を歩み出します。この本を読むとチャーチルの成長の過程と同時に、イギリスがどのように今のポジションを築いたか、あるいは大英帝国は守られたか、それがよくわかる本だなと思います。

――イギリスが大好きだということですが、石田さんとイギリスの関わりはどういったものですか。

実は、東海銀行に入って五年目くらいに若手行員海外研修制度がスタートしました。それに応募したらたまたま合格して、それで一九七一年にロンドンへ行ったわけです。当時のロンドンは、経済的にはスタグフレーションの時代でした。賃上げが激しく、金利も高騰しており、経済は低迷状況だったのですが、私にとっては本当にきらびやかな大英帝国のレガシーをあちこちで感じる、もう本当に印象に残る感激の毎日でした。例えば、テムズ川河畔の美しさ、あるいは大英博物館の威容、あるいはビッグベンという時計台をシンボルに建つ国会議事堂の威厳。オックスフォードやケンブリッジにも行きましたが、本当に知的な空気が流れており、私の胸には大英帝国は偉大な国家だったのだなという思いが刻みこまれました。

――この本との出会いはその頃でしょうか。

はい。東海銀行ロンドン支店に研修で行ったわけですが、ローカルスタッフに「やはり第二次世界大戦の敗戦国である日本とは違い、イギリスはすごい。大英帝国の遺産があちこちに見受けられて、本当に感激してるんだよ」と、こういう話をしたら、彼は「確かにそうなんだけれど、これらの遺産を維持できたのはチャーチルのおかげなんだ」と答えました。

続けて「第二次世界大戦も、イギリスは圧倒的に劣勢だったんだ。それで講和条約を結ぼうとか、様々な形でイギリスは屈服せざるを得ない状況にあったのを、チャーチルが『絶対に屈服はしない。戦おうじゃないか』と演説をして、国民を鼓舞し、最終的にはアメリカに参戦を依頼した。そして今の勝利があるんだ。だから、チャーチルがいなかったら歴史は大きく変わっていた」とも言いました。

こういった話があって、もともと名前は聞いていましたが、ちょっとチャーチルの本でも読んでみようかと思ったわけです。

――チャーチルはたくさん本を書いていますが、最初に手に取ったのがこの本だったのでしょうか。

そうですね。確かにいろんな本をノーベル文学賞をもらっても不思議でないくらいのレベルで書いています。日本語版では四部構成になっている『第二次世界大戦』という本を

収録風景

読んでも、本当に歴史書としては一級品でした。裏話では、歴史家やデータ収集家など多くのスタッフでチームを作って書いたらしいのですが、やはり天才的な文章力。これが我々を引きつけるわけです。

そして、今も世界情勢は非常に難しい時期にあり、戦争は各国の思惑や陰謀など様々な原因で起こるわけですが、その経緯などもよくわかる、非常に価値のある本だと思っています。

――今回ご紹介いただいた本は、何歳ぐらいにお読みになったのでしょうか。

二六歳くらいですかね。

――この本自体も、チャーチルの二六歳までの人生を描いたものですから、特に心に響いた部分もあったのではないでしょうか。

そうですね。当時は日本も高度成長期が始まった頃で、国としては敗戦国の汚名、これを全て返上して世界で大きく成長していくんだ、そういう気概がありました。我々若い者にとっては、一生懸命働くこと、これが生きる上での大のテーマだったわけです。

今では、そんなことは考えられないと思いますが、土日も関係なく出勤して会社のために一生懸命働く、それが我々のミッションだったのです。

ところが、この本を読むと、そういう努力は必要だが、そういう努力だけじゃなくて「若い時、一五、六歳の時に、まず技術や専門性を手にしよう。その後は教養を育みなさい。例えば文学、絵画、そういうようなことが人間形成に大事なんだ」とも言っているわけです。

私も含め当時の銀行員は、一生懸命に働くことだけが至上命令で、そればかりに没頭して文化や教養という分野に目を向けることが少なかったんです。やはりリーダーの資質には専門性で優れているだけじゃなくて、人間として魅力がある人物、憧れられる人物だとみんなに認められる、そういう資質を持った人間にならなければならない。こういったことを特に感じた最初の本でした。

――ということは、その後の人生においても大きな影響を持ち続けたのでしょうか。

はい。今、当社では社員向けのキャッチフレーズとして〝専門性・人間性を磨こう、高めよう〟と言っているわけです。やはり専門能力が高いだけではダメで、人間的魅力をどう培っていくか。そのために、当時の人事部が社員の趣味や教養を高めるためのサポートを色々やっています。その発端は、この本を読んで感じた、一直線に働くだけではダメだという想いで、それが現在につながってくるわけです。

――社員の方の人間力を高めるためのサポートをされているということですが、例えばどんなことでしょうか。

「ヒューマニティエンハンスメントプログラム」というのですが、例えば、自分は文系の大学を出た、でも今はもうＤＸ時代だから、プログラミングを習いたい。で学校に行きたいとなったら、その費用の一部または全額を会社が出す。また、そういう分野だけでなく、例えばお茶を習いたいとか、琴の資格を取りたいのだったら、それをサポートしていこうじゃないか、という制度です。審査はありますが、社会秩序上おかしいものを除いて色々な分野でやる気のある、意思力のある人をサポートする。そういうプログラムです。

――茶道もいずれは役に立ってくれるだろうということでしょうか。

茶道そのものというより、茶道によって人間的魅力や人生の満足感が醸し出されるじゃないですか。そうすると、その人が光り輝く、そういうことを目的としています。
我々証券会社というのは、投資商品を売ることがメインの仕事ですが、実質的には、やはり人間を、自分を売るのが商売ですから、自分の魅力を高める、そのためのサポートをするのが一番大事だと思いますね。

――人間力を高めることにおいても、読書はかなり有効だと思うのですが、石田さんは、読書の有用性にはどんなことがあるとお考えでしょうか。

我々の時代は読書しか知識を得る手段はなかったので、関心のある分野の本を買って読むわけですよね。ただ、今の時代、いろんなところから情報が来る。それもスマホを使って簡単に。それも無料で。

個人的に感じるのは、読書というのは、自分一人の時間に閉じこもりながら、色々考えをめぐらせ、時には本の内容に反発しながら、あるいはその本に何度も直面して自分を振り返ってみるということがあるわけです。そういう非常に長い時間を過ごす。それが熟読の特徴だと思うわけです。スマホなどで得られる情報は言ってみれば見出し情報であり、わかったつもりになるけれども、情報の裏側、真の意味というようなものはなかなか身につかない。うわついた情報収集方法じゃないか、そう思ってはいますが。これは育った時代がそうだったから、そういう風に考えているだけかもしれませんけど……。

――今回おすすめいただいた本もかなり読み応えがあります。スマホに慣れ親しんだ若者にとってはなかなか難しいかもしれないですが、それだけの価値がありますね。

そうですね。この本の新書版をまた買って読んでいるのですが、いろんなところで、そうだなというところが、振り返って読んでみても多くありました。

例えば、一つはリーダーの資質。今、日本は国際的なポジション、いわば国力をいろんな分野でどんどん下げている。これをどう克服するかが日本のテーマで、復活の要因、必要条件は色々ありますが、その一つはやはりリーダーの資質。これが他国のリーダーに比べて劣っているのではないか。

チャーチルはリーダーとして成功した人物と言われているわけですが、その資質・ベースは、私が見るにイギリス伝統の〝ジョンブル魂〟、何にもへこたれない。勇気を持って挑戦する。そういう不撓不屈の精神が一つあるわけです。

それともう一つは先ほど言った〝ノブレス・オブリージュ〟、いわゆる高いポジションにある人間は徳を積まないとダメだ、それと同時に責任を持たないとダメだということ。そして、結果として弱者あるいは敗者、これを敬う気持ちがないとダメだ。こういうことをチャーチルは書いています。

そういうリーダーの資質がチャーチルの場合どう醸成されたかというと、幼少の頃から寄宿舎に入ってしっかり鍛えられているわけです。

またこの本では、若い人、若者に対する非常にいいコメントや話が書かれています。

一つは夢について。地球は若い者のものだと書いています。一つ読んでみます。

「青年は決して現状に甘んじるな。地球は君のもの。その上の森羅万象は皆君のものだ。決して失敗に屈するなかれ。小さくなったとしても案じるな。一時の人気にだまされるな。諸君は過失を犯すであろうけれども、諸君が誠実にして寛大な限り、また、勇猛果敢である限り、諸君は決して世間を傷つけないであろう」

こういうような書き方をしています。夢についても、

「我々は自分が歩くにつれ、自分自身の宇宙を想像する。想像が強ければ強いほど、宇宙は多様となる。夢を捨てた瞬間に宇宙もまた不在となる」

私もだいぶ年をとって、そんな大きな夢は持てないのですが、しかし会社では、特に新

入社員の入社式では、皆さん必ず夢を持ってくれ、こういう話をしています。若い者の特権として夢を持ってほしい。それについて自分で考え、それの達成に向けて一歩一歩進んでいく。そう簡単には達成できないものだけれども、そのプロセスで得るものがたくさんあるだろうと思っています。

それと同時に今はもう、みんな、内に引きこもってしまう。そういうようなことでは何の刺激も受けない。世界で何が起きているか肌で感じられない。これではダメです。チャーチルのように、若い時から戦場にでも果敢に飛び込んでいく。そこまでは必要ないけれども、異文化なり、あるいは違った国へ行ってみる、これが自分を大きく育てる。今考えてみると、そういう経験をもってこの本を読めば、そうだよなということがよくわかります。

――やっぱり引用された部分には何か奮い立たせられるものがありますね。

やはり彼は名文家なもので、私も似たようなことは考えますが、こういう風な形で、宇宙のことまで話すというイマジネーションの凄さというのは、チャーチルの偉大さを示していると思います。

——今回は原文で読まれたのでしょうか。

若い時は原文でしたけど、今回読み返した時は日本語でした。

——チャーチルの英語はどのように感じますか。

チャーチルの英語というよりも、オックスブリッジイングリッシュ、いわゆるクイーンズイングリッシュは格式が違う。私はロサンゼルスにも長くいたのですが、ロサンゼルス英語は、怒られるかもしれないけれど、ちょっと聞けない英語ですね。ロサンゼルス英語は“you know? you know?”、日本語で言えば「な、な、そうだろう? そうだろう?」、こういうような言葉が常に出てくるわけです。

それに比べるとオックスブリッジイングリッシュ、クイーンズイングリッシュはちょっと違う。語彙も豊富で、話し方も間隔をおいて威厳さえ感じる。ただオックスブリッジイングリッシュは、聞いているとその理解が非常に難しいことがよくあります。例えば、否定の否定で肯定を表したり、そういうような文章をよく使いますし、発音の時は必ず吃音《きつおん》にします。わざとどもるんです。オックスブリッジ発音という喋り方、それがまた、格式が高いように聞こえたりしましてね。

アメリカのトランプさんなどは、誰でも知ってるシンプルな言葉、わかりやすい表現を使いますが、ダーティというか奥の深い表現、そういう感じはしないじゃないですか。だから、そういう意味では、イギリス英語というのはやっぱりちょっと別格というか、そういう感じがしますね。

――チャーチルもそうですけれども、イギリスの場合、名だたる政治家が著作を自国のために残している。チャーチルは今でもイギリスでは人気はありますか。

私はあると思います。彼は毀《き》誉《よ》褒《ほう》貶《へん》の激しい人物ですが、戦争を勝利に導いたヒーローとして国民から愛され、大きな人間して評価された。そう思って選挙に出るとチャーチルでも落選したりするのがイギリスという国のよくわからないところでもありますが、イギリスは今、混迷の時代を迎えています。例えば、リズ・トラスという女性が首相に選出されましたが、わずか四五日で退任に追いやられている。そして次に祖先が植民地出身の人が首相になる。そういう時代を迎えて、イギリス人としての誇りを他国以上に持っている国民は、チャーチルのような人間性に優れて、説得力のある説明ができて国民を納得させる、そういうような人材が出てくれないかと、こう思っているんじゃないかと感じます。

実はジョンソン元首相はオックスフォードの優秀な学生だったのです。相当成績が良くて、彼はチャーチルの研究もしています。そして、チャーチルがいかに優れた人物だったかを一冊の本にまとめているのです。チャーチルは英国の崩壊を止めたと同時に、世界地図をつくった人物なんだとも言われています。例えば、今混乱を迎えている中東の情勢、この現代の中東の地図（国境の区分け）、これにチャーチルは相当関わっています。そういう意味で、イギリス人としては最も誇るべき、特に今のイギリスの状況を見れば、当時とは世界情勢は違いますが、彼のような偉大な人物がリーダーとして出てきてほしい、こう思っているんじゃないかと、私は思っているのですが……。

――政治経済を考える上で、歴史をさかのぼらなければならない？

私はそう思いますね。特に、今のウクライナ問題。それには複雑な歴史がある。なぜ、ウクライナ問題が発生してきたか、なぜスターリンが東欧諸国に鉄のカーテンを引いて一つの社会主義、あるいは共産主義体制をつくったのか。それらは全て第二次世界大戦後、アメリカ、ソ連（ロシア）、それとイギリスの交渉の結果、こういう地図になった。それをアメリカやヨーロッパ各国が少しずつ壁を崩して、今のヨーロッパの地図ができているのですが、やはり自分自身の周囲の状況というものは歴史を見ればわかるわけです。

日本というのは島国なので、世界の歴史、民族の歴史に疎い。私は日本人も、世界の情勢を歴史で紐解くということを、これからビジネスをする上では常に頭において然るべきだと思います。例えば、私の若い時、ロンドンでの一年研修が終わって、バンコク勤務だった二七歳ぐらいの時、仕事仲間にハーバード出身のタイのエリートがいました。後に彼はタイの大蔵大臣に二回なった人物です。彼と親しくて、最近もコロナ前ですが、二、三回会って話をした時、我々の気がつかなかったことを言ったのです。タイと日本はアジアの他の国と違って似ている面がたくさんあるんだ。それは仏教国であること。また王制あるいは天皇制を大事にしていて、人柄が優しい。そういう話をするわけです。

彼は、両国とも英語が下手というのも似ていると言いましたが、実際は日本人よりタイ人の方が英語のレベルは高いのです。例えば彼は、ハーバードへ行く前に中学校からインドへ行き、英語を学んだらしいのです。

そして、最大の共通点は、アジアの中でタイと日本だけが植民地になっていないこと。タイと日本がなぜ植民地にならなかったのか。両国の歴史は違うけれども、やはり国を愛する、国に対する国民の意識がタイと日本では共通なところがあるのではないか、こういう話をするわけです。残念ながら、我々にはそんな意識は全然ありませんでした。

今回のウクライナ問題しかり、中東アジア問題しかり、歴史を一度勉強すべき、頭に入れておくべきだと思いました。一方、アメリカは歴史がない国と言われている。何か野性の世界で、とにかく金こそが、権力こそがパワーなりということでのし上がってきた面がある国。我々やヨーロッパの国々とは考え方がかなり違うとの思いがあります。

——読書術というか、読書をする時に何を心がけていますか？　また、本を選ぶ時に目安にしていることはありますか？

やはりビジネスマンなので、ビジネスに関わる読書がメインです。よく若い人に言っているのは、経済誌が四種も五種もあるのは日本だけだと。アメリカもイギリスも経済専門の新聞や週刊誌は多くはないのです。

だから、日本で経済やビジネスの知識を学ぶには、まず、このいくつかの経済誌を必ず、できれば全て読みなさい。最近はこれらの新聞・雑誌はビジネスに関係のない趣味とか文化の記事も載せているので、人間性を養うためにもまずベースとしてそれらを読みなさい。

そして、必ず関心のあるテーマを決めて、どう深掘りするかを考えた方が良い。それで読む時は机に向かって読みなさい。こういう話をしています。

それと同時に、常に自分に宿題を与えなさい。だらだら読んでもそれなりには読めますけど、何かちょっとテーマを決めて、日にちを決めて集中して読む。私はこれを心がけています。私もこういう年齢ですので、夜は九時を過ぎたら寝て、朝は四時ぐらいに起きます。その後、一時間ほど読書をするわけです。そうすると一時間で何ページ読めるな、この本は何日で読めるなと計算ができ、いつまでに読もうという考えが生まれる。自分でリーディングタイムを決め、集中して読むというのが大事ではないかと思っています。

あとがき ——日本復活の狼煙——

二〇二三年一〇月、熊本駅に降り立った。

熊本駅から車で一時間半。阿蘇外輪山の外側の広大な林地、農地にそびえ立つ〝ｊａｓｍ〟のマークを埋め込んだＴＳＭＣ半導体の熊本工場。その周りには、ソニー、東京エレクトロンなど、日本の栄光と希望を担う代表的企業が、ＴＳＭＣ熊本工場を取り囲むように自社工場を築き上げている。

停滞の三〇年間、かくも巨大でダイナミックな企業城下町プロジェクトの開発がなされたことがあっただろうか？　熊本の街はこれから大改造されると聞く。高速鉄道を走らせ、大居住地域を造成し、ＡＩ等のＤＸ技術を駆使した交通管理システムが導入さ

TSMC半導体熊本工場の外観（以下いずれも）

れ、まさに憧れの未来都市ができ上がる予定。何か胸のときめき、躍動の嬉しさを感じずにはいられない。


政府の半導体立国へのコミット、そして巨額な予算投入。台湾企業と日本企業の国際的コラボレーション。つまり、最先端の半導体生産技術と本能的な緻密さを持ち合わせた日本の生産管理システムの融合。

日本復活の狼煙《のろし》が、この熊本の地で空高く舞い上がる。

北海道の〝ラピダス〟プロジェクト関連でも同様のダイナミズムが生まれようとしている。日本はこの好機を絶対に逃がすべきではない。

今こそ先端技術立国としての国家ビジョンを掲げ、萎えた日本人の心に煌々とした火を灯すべきであろう。

日本復活を確かなものにするために！

二〇二四年三月
東海東京フィナンシャル・ホールディングス株式会社
代表取締役会長　石田　建昭

写真クレジット

P18　全英オープンのフラッグ　©David Blunsden/Action Plus Sports via ZUMA Wire/共同通信イメージズ
P20　ミュアフィールド　Alamy Stock Photo/amanaimages
P24　ウィンブルドンセンターコート　©Shaun Brooks/Action Plus Sports via ZUMA Wire/共同通信イメージズ
P26　錦織圭選手　写真提供：ロイター＝共同
P26　大坂なおみ選手　写真提供：共同通信社
P26　松岡修造選手　写真提供：ロイター＝共同
P28　オックスブリッジレガッタ　写真提供：共同通信社
P29　ピムズ（PIMMS）　©Foodcollection/amanaimages
P30　ケンブリッジ大学　©Alan Copson/awl images/amanaimages
P31　オックスフォード大学　©Barry Davis/robertharding/amanaimages
P35　B-52（ストラトフォートレス）　©Stocktrek Images/amanaimages
P38　エズラ・ヴォーゲル　写真提供：共同通信社
P38　『Japan as No.1』 エズラ・F・ヴォーゲル・著 広中和歌子/木本彰子・訳　CCCメディアハウス
P39　ポルカー元FRB議長　写真提供：ロイター＝共同
P43　ポルトガルのコルク産業　©Alamy Stock Photo/amanaimages
P43　フランシスコ・ザビエル　©Manga Designers Lab/a.collectionRF/amanaimages
P44　リスボン修道院　©Alamy Stock Photo/amanaimages
P45　青函連絡船　写真提供：共同通信社
P46　洞爺丸事故　写真提供：共同通信社
P50　ロイヤルオペラハウス　©Alamy Stock Photo/amanaimages
P51　パヴァロッティ　Sputnik/共同通信イメージズ
P51　アンジェラ・ゲオルギュー　Sputnik/共同通信イメージズ
P55　ロックフェラー・センター　© Lev Radin/Pacific Press via ZUMA Wire/共同通信イメージズ
P56　ディジーズクラブ・コカコーラ　Â© Aviv Small/ZUMA Press/共同通信イメージズ
P56　ブルーノート　©Alamy Stock Photo/amanaimages
P59　『オフィーリア』　©bpk/amanaimages
P60　『真珠の耳飾りの少女』　©Alamy Stock Photo/amanaimages
P60　『雨、蒸気、速度』　©Alamy Stock Photo/amanaimages
P60　『接吻』　©Bridgeman Images/amanaimages
P60　『小椅子の聖母』　©Alinari Archives, Florence/amanaimages
P62　バービカン・センター　©KEIZO KANO/SEBUN PHOTO/amanaimages
P63　内田光子さん　写真提供：共同通信社
P63　五嶋みどりさん　写真提供：共同通信社
P67　バンク・オブ・イングランド　©KEIZO KANO/amanaimages

P67　ジョージ・ソロス　写真提供：共同通信社

P71　韓国中央銀行　© Kim Jae-Hwan/SOPA Images via ZUMA Press Wire/共同通信イメージズ

P75　山一證券自主廃業記者会見　写真提供：共同通信社

P79　リーマン・ブラザーズ看板撤去　写真提供：ロイター＝共同

P85　嘆きの壁　©KAKU SUZUKI/SEBUN PHOTO/amanaimages

P86　岩のドーム　©TAKAYUKI UEDA/SEBUN PHOTO/amanaimages

P86　ゴルゴタの丘　新華社/共同通信イメージズ

P87　イツハク・ラビン元イスラエル首相　©Mark Reinstein/ZUMA Press Wire/共同通信イメージズ

P89　世界銀行総会（ペルー・リマ 2015年）　写真提供：ロイター＝共同

P89　メキシコ中央銀行　©Alamy Stock Photo/amanaimages

P91　マチュピチュ　©Akira_Matsui/amanaimages

P93　ジョコ インドネシア大統領　写真提供：共同通信社

P94　『ゲーム・オブ・スローンズ』のワンシーン　HBO/Album/共同通信イメージズ

P97　17年ゼミ　©imamori mitsuhiko/Nature Production/amanaimages

P98　ローレンス・サマーズ元アメリカ財務長官　写真提供：ロイター＝共同

P103　テムズ川沿いのスフィンクス像　©Nadia Isakova/awl images/amanaimages

P104　ウィンストン・チャーチル　SOUTHERN/Ronald Grant Archive/Mary Evans/共同通信イメージズ

P108　アラムート城砦　dpa-Zentralbild/DPA/共同通信イメージズ

P115　浅井将雄氏　時事

P120　FRB（連邦準備制度理事会）　写真提供：共同通信社

P120　ベン・バーナンキ元FRB議長　Â© Fotogramma/ROPI via ZUMA Press/共同通信イメージズ

P123　タリン・ニンマンヘイミン元タイ大蔵大臣　写真提供：ロイター＝共同

P126　トリシェ元ECB総裁　写真提供：共同通信社

P131　エドワード・ジョージ元イギリス中央銀行総裁　写真提供：共同通信社

P137　タイ・バンコクの観光地（ワット・プラ・ケオ）　©Alamy Stock Photo/amanaimages

P140　タイ・バンコクの観光地（パッポン通り）　©YANSHIN/a.collectionRF/amanaimages

P143　タノーム・キッティカチョーン元タイ首相　©Keystone Press Agency/ZUMA Press Wire/共同通信イメージズ

P150　FBI（米国連邦捜査局）　©LOOP IMAGES/amanaimages

P161　ナワタニゴルフクラブ　写真提供：タイ国政府観光庁

P162　サイアムカントリークラブパタヤ　写真提供：タイ国政府観光庁

P163　ジョニー・ミラー　時事

P165　リビエラカントリークラブ　©Alamy Stock Photo/amanaimages

P166　ペブルビーチゴルフリンクス　©Alamy Stock Photo/amanaimages

P167　オーガスタナショナルゴルフクラブ　©Garry Ridsdale/Robert Harding/amanaimages

P169　ウェントワースクラブ　©Alamy Stock Photo/amanaimages
P170　セントアンドリュースリンクス　©Alamy Stock Photo/amanaimages
P173　香港ゴルフクラブ　写真提供：ロイター＝共同
P174　バリーバニオンゴルフクラブ　©St. Louis Post-Dispatch/TNS via ZUMA Press Wir/ 共同通信イメージズ
P178　シリコンバレーバンク　© Michael Ho Wai Lee/SOPA Images via ZUMA Press Wire/ 共同通信イメージズ
P178　クレディ・スイス　Â© Antonio Pisacreta/ROPI via ZUMA Press/ 共同通信イメージズ
P179　炭鉱のカナリア（イメージ）　CTK/Libor Sojka/ 共同通信イメージズ
P183　リチャード・ファルド元リーマン・ブラザーズCEO　©The Washington Times/ZUMA Press/共同通信イメージズ
P184　グリーンスパン元FRB議長　写真提供：ロイター＝共同
P189　キツツキのくちばし　DPA / 共同通信イメージズ
P189　シマウマの団結　写真提供：共同通信社
P189　水鳥の飛び立ち　DPA / 共同通信イメージズ
P189　ミツバチの巣　写真提供：共同通信社
P189　ライオンのようなリーダーシップ　imageBROKER.com/Thomas Sbampato/ 共同通信イメージズ
P189　鷹の目　山陽新聞 / 共同通信イメージズ
P193　灰色のサイ　imageBROKER.com/Malcolm Schuyl/FLPA/ 共同通信イメージズ
P201　日本車を破壊するアメリカ人　写真提供：UPI＝共同
P201　ジュリアナ東京　写真提供：共同通信社
P203　三重野康元日銀総裁　写真提供：共同通信社
P206　東京五輪卓球混合ダブルスで金メダルに輝いた水谷隼選手と伊藤美誠選手　写真提供：共同通信社
P207　『日本経済 復活の書』 鈴木貴博　PHPビジネス新書
P207　鈴木貴博氏　写真提供：朝日新聞社
P208　『復興　THA KAISHA』 ウリケ・シェーデ・著 渡部典子・訳　日本経済新聞出版
P208　ウリケ・シェーデ氏　写真提供：ウリケ・シェーデ氏

上記以外は著者提供

〈著者紹介〉
石田建昭　東海東京フィナンシャル・ホールディングス株式会社代表取締役会長。1946年北海道函館市生まれ。小樽商科大学卒業。68年東海銀行に入行し、主に国際部門や海外拠点に勤務。海外勤務は71年のロンドン研修を皮切りに、バンコク、ロサンゼルス、ロンドンと、アジア、欧州の主要都市を経験。国内及び国際銀行業務、投資やトレーディング等市場業務を歴任。その他に資産運用や証券ビジネスを主要業務とする企業のトップを経験するなど、いわゆるフルフレッジドバンカー（全能型銀行員）、オールラウンドフィナンシャルパーソンと呼ばれている。中部経済同友会筆頭代表幹事、名古屋ロータリー会長などの要職を歴任。

凋落と再興の軌跡

ジョンブル魂とサムライの復活

2024年3月20日　第1刷発行

著　者　　石田建昭
発行人　　見城 徹
編集人　　森下康樹
発行所　　株式会社 幻冬舎
〒151-0051 東京都渋谷区千駄ヶ谷 4-9-7
電話：03（5411）6211（編集）
03（5411）6222（営業）
公式 HP：https://www.gentosha.co.jp/
印刷・製本所　中央精版印刷株式会社

ISBN978-4-344-04243-8 C0030

この本に関するご意見・ご感想は、下記アンケートフォームからお寄せください。
https://www.gentosha.co.jp/e/